D0504531

Forensische wetenschap

Elementaire Deeltjes

Elementaire Deeltjes, de serie boekjes van Amsterdam University Press (AUP), maakt kennis toegankelijk voor een breed publiek. *Elementaire Deeltjes* is dé manier om snel alles te weten te komen over de onderwerpen die je interesseren.

Experts nemen je mee op een ontdekkingsreis waarbij elk thema in de meest beknopte vorm volledig uitgediept wordt. Een serie handige en handzame boekjes, met altijd het antwoord op de vraag: 'Hoe zit dat nou eigenlijk?'

Forensische wetenschap

Jim Fraser
Geactualiseerd door Nicole Maalsté

AUP

Oorspronkelijke uitgave: Jim Fraser, *Forensic Science: A Very Short Introduction*, Oxford University Press, 2010 [ISBN 978-0-19-955805-6]
© Jim Fraser 2010

Vertaling: Sarah de Waard

Ontwerp omslag: Michel van Duyvenbode, Amsterdam
Ontwerp binnenwerk: Crius Group, Hulshout

ISBN   978 90 8964 686 6
e-ISBN   978 90 4852 383 2 (pdf)
e-ISBN   978 90 4852 384 9 (ePub)
NUR   870 | 876

© J. Fraser / Amsterdam University Press B.V., Amsterdam 2014

Inhoudsopgave

Voorwoord en woord van dank

Forensische wetenschap staat op dit moment meer dan ooit in de belangstelling. In Nederland volgen steeds meer studenten 'forensische' opleidingen, en een eindeloze reeks televisie-drama's laat zien hoe populair het onderwerp bij het grote publiek is. In de echte wereld trekt forensische wetenschap heel veel aandacht van de media in grote zaken als de dood van de 21-jarige verkoopster Sandra van Raalten (1984), de 23-jarige stewardess Christel Ambrosius (1994) en de 16-jarige Marianne Vaatstra (1999). Wat belangrijker is, is dat forensische wetenschap politieonderzoeken 'aanwijzingen' bezorgt, en openbare aanklagers bewijsmateriaal geeft dat eerder voor onmogelijk werd gehouden. Maar toch weten zelfs degenen die er gebruik van moeten maken, zoals advocaten en politieagenten, weinig van forensische wetenschap. Hetzelfde geldt voor politici en journalisten. Het grote publiek ontleent zijn kennis over het onderwerp grotendeels aan televisieseries als CSI (*Crime Scene Investigation*), die geavanceerd beeldmateriaal gebruiken voor dramatische effecten. Dit gaat ten koste van realistische informatie over iets wat een steeds belangrijker onderdeel van het strafrecht aan het worden is. Er bestaat zelfs een zogenaamd 'CSI-effect' – als er verkeerde verwachtingen en misverstanden over forensische wetenschap bestaan, kan dat een negatieve invloed hebben op gerechtelijke uitspraken.

De afgelopen twintig jaar is er een aantal spectaculaire wetenschappelijke doorbraken gedaan, met name de ont-dekking van het DNA-profiel, die voor een revolutie in de forensische wetenschap gezorgd hebben. Microscopische sporen van lichaamsvloeistoffen, drugs en explosieven kun-nen bewijsmateriaal opleveren dat van voldoende kwaliteit is om centraal te staan in een onderzoek of bij een rechtszaak. En de manier waarop de politie misdaad onderzoekt heeft een parallelle revolutie ondergaan. Misdaden die ons het meest raken (inbraak, autodiefstal en dergelijke) zijn waarschijnlijk effectiever, sneller en betrouwbaarder te onderzoeken met behulp van DNA en vingerafdrukken dan met enige andere methode. Bij zware misdaden, zoals moord, zijn forensische wetenschappers niet langer onderzoekers in achterkamertjes, maar werken ze op de voorgrond aan internationale onderzoeken. De forensische wetenschap beantwoordt onderzoeksvragen vaak beter dan andere beschikbare middelen, en is daarom nu stevig ingebed in het strafrechtsysteem. De activiteiten op het raakvlak tussen wetenschap en recht wet zijn gecompliceerd. Hoewel ze een aantal karakteristieke eigenschappen heeft, is de forensische wetenschap geen op zichzelf staand gebied. In plaats daarvan maakt ze gebruik van veel verschillende vakgebieden, zoals scheikunde, moleculaire biologie en bouwkunde. Het is geworteld in de wetenschap, maar forensisch onderzoek is bijzonder praktijkgericht en houdt zich bezig met zaken uit het dagelijks leven: explosies, bloedspatten, dode lichamen, en gestolen auto's. Complexe wetenschappelijke resultaten moeten zorgvuldig en zakelijk beoordeeld worden, en helder, eenvoudig en nauwkeurig uitgelegd worden aan politie, advocaten en de rechterlijke macht. Forensische wetenschap krijgt te maken met alle aspecten van menselijk gedrag. De beroemde kop 'al het menselijk leven is hier' past goed bij de forensische wetenschap: van het onnozele (de moordenaars die in paniek raakten en een lichaam voor de derde keer in een bloemenperk van een kerkhof begroeven) en de pechvogels (een man liet zijn colbertjasje waarin zijn rijbewijs zat achter in de woning van een 44-jarige Rotterdamse vrouw nadat hij haar met een pistoolschot om het leven had gebracht) tot het kille en het angstaanjagend boosaardige – seriële verkrachters en moordenaars die hun hele leven misdaden plannen en erover fantaseren zoals Marc Dutroux en de Utrechtse serieverkrachter. Kort gezegd, de forensische wetenschap is belangrijk omdat haar band met het dagelijks leven (en dood) directer, tastbaarder en zichtbaarder is. Maar de forensische wetenschap heeft niet alle antwoorden. In sommige gevallen weet ze helemaal niets (bijvoorbeeld over de mysterieuze verdwijning van de elfjarige Nicky Verstappen en de moord op Els Borst), en in sommige gevallen, zoals in de zaak tegen oorlogsheld Marco Kroon faalt ze spectaculair en op zorgelijke wijze, en de oorzaken zijn niet altijd duidelijk. Sommige mensen hebben dan ook gemengde gevoelens over de forensische wetenschap (wat het grote publiek in het algemeen over wetenschap heeft), en anderen zien haar als een bron van onrecht. In mijn ervaring zijn de argumenten van de laatsten zelden goed onderbouwd, maar ik zal sommige van deze zaken in dit boek bespreken.

In een boek van dit type en deze lengte is het onmogelijk recht te doen aan alle gebieden van de forensische wetenschap, dus ik heb noodgedwongen een selectie moeten maken. Hele gebieden van de forensische wetenschap zijn volledig afwezig: toxicologie, onderzoek naar botsingen, forensisch computeronderzoek, onderzoek van documenten. Andere onderwerpen worden oppervlakkig en in het voorbijgaan behandeld. Ik heb geprobeerd de centrale kwesties in de forensische wetenschap te identificeren, zoals de identificatie en evaluatie van bewijsmateriaal, en de belangrijkste procedures en technieken, zoals de *chain of custody* en het minimaliseren van het risico van besmetting. Bij veel van de zaken die ik ter illustratie aanhaal ben ik persoonlijk betrokken geweest, en ik put uit mijn geheugen. Ik heb niet bij iedere zaak gedetailleerde informatie gegeven omdat dit zelden nodig is om ze te begrijpen, maar in sommige gevallen zijn de details al uitgebreid gepubliceerd. Mijn uitgangspunt is dat je niet alle details van ieder gebied van forensische wetenschap hoeft te kennen om de aard van forensische wetenschap te begrijpen. Of ik hier succesvol in ben geweest, laat ik aan het oordeel van de lezer over.

Hoewel de wetenschappelijke terminologie min of meer universeel is, variëren de termen die de politie en de rechtbank gebruiken aanzienlijk, zelfs zo erg dat hetzelfde woord in verschillende jurisdicties verschillende dingen kan betekenen. Ik gebruik de voor de hand liggende termen als voorwerp of stuk en verslag. Op deze wijze zou het onderwerp goed te begrijpen moeten zijn. De hoofdstukken volgen over het algemeen de chronologische samenwerking tussen de forensische wetenschap en het strafrecht – incident, onderzoek, laboratoriumanalyse – van plaats delict tot rechtbank.

Ten slotte een opmerking over die 'CSI'- of 'eureka'-momenten – wanneer de wetenschapper de zaak oplost door een briljant staaltje scherpzinnig denkwerk en kan genieten van de bewondering van haar collega's. Ja, die momenten bestaan, maar ze zijn veel zeldzamer dan televisieseries je laten geloven. In een lange carrière komt zoiets misschien vijf of zes keer voor. In werkelijkheid worden de meeste zaken opgelost door een combinatie van systematisch onderzoek door verschillende vaklieden (politieagenten, wetenschappers, pathologen, forensisch onderzoekers), goed teamwerk, doeltreffend leiderschap, hard werk en wat geluk. Ik hoop dat dit overkomt in de tekst.

Ik ben veel mensen dank verschuldigd voor hun steun bij het schrijven van dit boek: de eerste proeflezers, collega's, vrienden en iedereen die advies, kritiek en beeldmateriaal heeft geleverd. Ik wil hen allemaal (in alfabetische volgorde) bedanken: Sarah Cresswell, Peter Gill, Jim Govan, Isobel Hamilton, Max Houck, Anya Hunt, Lester Knibb, Adrian Linacre, Terry Napier, Niamh NicDaeid, James Robertson, Derek Scrimger, Nigel Watson, Robin Williams. Ik wil ook Latha Menon bedanken voor haar enthousiasme bij het in gang zetten van dit project, en Emma Marchant, die me erbij begeleid heeft. Ten slotte ben ik mijn partner Celia en zoon Robbie bijzonder dankbaar voor hun geduld toen ik meer aandacht aan hen had moeten besteden in plaats van mezelf op te sluiten in mijn studeerkamer.

1.   Wat is forensische wetenschap?

De bloedvlekken leken op de verstrooide fragmenten van een
mysterieus patroon – een laatste boodschap, een waarschuwing,
een teken aan de wand.
Alec Ross, *The Rest is Noise: Listening to the Twentieth Century*

Dit waren de woorden van Klaus Mann (de zoon van Thomas
Mann) nadat hij het lichaam van Ricki Hallgarten, zijn vriend
en ex-geliefde die zichzelf door het hart geschoten had, gevonden had. Paul Kirk beschreef een soortgelijk idee in meer
detail, en in praktischer termen:

> Waar hij ook voet zet, wat hij ook aanraakt, wat hij ook
> ongemerkt achterlaat, het dient als stille getuige tegen
> hem. Niet alleen zijn vingerafdrukken of voetafdrukken,
> maar zijn haar, de vezels van zijn kleding, het glas dat
> hij breekt, gereedschapssporen die hij achterlaat, de verf
> die hij bekrast, het bloed of het sperma dat hij verliest of
> dat zich aan hem hecht. Dit alles en meer getuigt in stilte
> tegen hem. Dit is bewijsmateriaal dat niet vergeet. De
> chaos van het moment kan het niet in verwarring brengen.
> Dat er geen menselijke getuigen zijn, betekent niet dat het
> afwezig is. Het is feitelijk bewijsmateriaal. Fysiek bewijs
> kan zich niet vergissen, het kan geen meineed plegen, het
> kan niet volledig afwezig zijn. Alleen menselijk falen om
> het te vinden, te bestuderen en te begrijpen kan de waarde
> ervan verminderen.

Kirk vervangt Manns lyrische symboliek met antropocen-
trisme. Volgens Kirk is er niet alleen een verhaal dat verteld
moet worden, maar is het zo duidelijk dat we het wel moeten
zien. Mijn collega Robin Williams noemt dit 'forensische

verbeelding' – de overtuiging dat al dergelijke gebeurtenissen kenbaar zijn en gereconstrueerd kunnen worden uit forensisch bewijsmateriaal, dat er altijd een ontcijferbare laatste boodschap van het slachtoffer is en dat de dader altijd bewijsmateriaal heeft achtergelaten. De 'handtekening' van de moordenaar. Mann ziet de bloedvlekken niet alleen als tekenen van geweld, maar ook als een 'tekst' die gelezen en geïnterpreteerd kan worden, en Kirk stelt dat we die tekst wel moeten begrijpen.

De meest invloedrijke denker in de forensische wetenschap was Edmond Locard (1877-1976), wiens werk bijna zeker de inspiratie was voor Kirks hierboven geciteerde opmerkingen. Locard stichtte in 1910 het eerste wetenschappelijke politielaboratorium om plaatsen delict in Lyon, Frankrijk, te onderzoeken. Hij formuleerde ook het principe dat veel mensen als het grondbeginsel van en de leidraad voor de forensische wetenschap beschouwen. Meestal wordt dit samengevat als 'ieder contact laat een spoor achter', hoewel Locard die exacte woorden nooit gebruikt heeft. De boodschap die politieagenten en de drommen nieuwe studenten forensische wetenschap direct of indirect meekrijgen, is dat deze opvattingen de realiteit vertegenwoordigen. Dat je uiteindelijk alles over een misdrijf of een misdadiger te weten kunt komen, en dat er voor dergelijke gebeurtenissen altijd bewijsmateriaal te vinden zal zijn. Alleen het menselijke element kan falen en de reden zijn dat het doel niet bereikt wordt. Mensen leren ook dat forensisch bewijsmateriaal afstandelijk en objectief is: we zullen niet alleen van alles te weten komen, er zal maar één versie van de waarheid zijn (en daarom geen conflicten). En wij zullen het laatst lachen omdat dit allemaal kan gebeuren terwijl de misdadiger van niets weet.

Met mijn ervaring in forensische wetenschap kan ik me moeilijk een situatie voorstellen die verder van de realiteit afstaat. Locards principe, zoals het meestal genoemd wordt, is geen wetenschappelijke theorie omdat het niet op wetenschappelijke manier getest kan worden, en het kan geen gebeurtenissen voorspellen op de manier waarop de wetenschappelijke wetten voor de zwaartekracht of het elektromagnetisme dat kunnen. Het kan ook niet omschreven worden als een model voor de wereld – we zouden veel meer bewijs nodig hebben om dat te kunnen beweren. Het is eerder een principe dat gebaseerd is op een gedachte-experiment. Net als andere 'wetenschappelijke' principes – bijvoorbeeld het kosmologisch principe, dat bepaalde gesimplificeerde (maar onware) aannames doet over de distributie van materie in het heelal – helpt het ons om na te denken over dingen wanneer we weinig of geen informatie over hebben. We weten dat onderzoek Locards stellingen gedeeltelijk ondersteunt, maar dat er ook grenzen zijn aan hoe zijn concepten toegepast kunnen

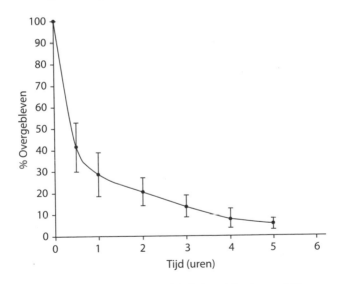

1. Verlies van vezels van het huidoppervlak. Veel verschillende oppervlakken verliezen vezels volgens dit patroon. Na vijf uur is ongeveer 95% van het bewijs verloren gegaan.

worden. De aanname dat bewijsmateriaal op zijn plaats blijft als het eenmaal overgedragen is klopt niet; we weten dat dit niet zo is. Over het algemeen gaat dergelijk bewijs verloren en vaak gebeurt dat al erg snel, binnen een paar uur na de gebeurtenis (zoals te zien is in figuur 1). We kunnen daarom een echte wetenschappelijke theorie formuleren, eentje die getest kan worden op basis van empirisch bewijs: het idee van overdracht en vasthoudendheid. Bijvoorbeeld, wanneer kledingstukken met elkaar in contact komen, zullen die vezels aan elkaar overdragen die dan geleidelijk weer verloren gaan.

Maar misschien zijn we te kritisch geweest over Locard en Kirk. Laten we dus terugkeren naar dit gedachte-experiment, en ons een wereld voorstellen waar dingen niet alleen constant worden overgedragen, maar, zoals we nu weten, ook verloren gaan. Ik zit in een trein op een stoel met een stoffen bekleding en lees een boek. Mijn kleren geven vezels af aan de stoel, en de stoel geeft vezels af aan mijn kleren. Wanneer ik in mijn kantoor aankom, zullen sommige vezels van de treinstoel die op mijn kleren zijn achtergebleven op mijn kantoorstoel terechtkomen. Tot nu toe is het niet al te ingewikkeld, dus laten we verdergaan met het experiment. Toen ik in de trein zat, zijn er ook vezels uit mijn huis overgedragen aan de treinstoel: van bekleding van meubels, vloerkleden, de kleren van mijn familie en misschien haren van huisdieren. En op de trein-stoel zullen niet alleen vezels van andere passagiers gezeten hebben, maar ook vezels uit hun huizen. Sommige daarvan zullen overgedragen zijn op mijn kleding en misschien op mijn kantoorstoel. En nu is de situatie nogal gecompliceerd geworden. In mijn kantoor zijn vezels te vinden van mensen uit de trein met wie ik nooit in contact ben geweest en die nooit in mijn kantoor zijn geweest (al zal het meeste verloren zijn gegaan tijdens mijn wandeling van het station naar mijn kantoor). Er kunnen vezels van dingen uit mijn huis in de kan-toren van anderen (die ook in de trein zaten) terechtgekomen zijn. Al deze vezels zullen op grote schaal geproduceerd zijn, dus geen ervan is uniek. Het zal nu duidelijk zijn dat als er in mijn kantoor vezels gevonden worden die overeenkomen met iemands kleren, dat nog niet betekent dat diegene in mijn kantoor geweest is. Het betekent niet eens dat ze van de kleding van die persoon afkomstig zijn. Om de aanwezigheid van gevonden vezels te kunnen begrijpen, moeten we nieuwere concepten uit het forensisch werk gebruiken, zoals primaire (directe) en secondaire (indirecte) overdracht. De vezels die mijn kleren afgegeven hebben aan de treinstoel (en omgekeerd) zijn toe te schrijven aan directe overdracht. De vezels van de kleding van andere mensen op mijn kantoorstoel zijn daar gekomen via indirecte overdracht. Dus terwijl ieder (direct) contact een spoor achter kan laten, kunnen er ook sporen overgedragen worden zonder (direct) contact. Om de conclusie te trekken dat sporen het gevolg zijn van direct of indirect contact is veel meer informatie nodig, iets wat we in volgende hoofdstukken zullen behandelen. Het zal zo langzamerhand duidelijk zijn dat het onvermijdelijk is dat er feilbare mensen, onzekere interpretatie, wetenschappelijke tests met ingebouwde foutenmarges en subjectieve interpretatie van testresultaten bij het ontcijferen van forensisch materiaal betrokken zijn. De laatste complicatie in dit verhaal is dat al deze activiteiten, onderzoeken en interpretaties moeten voldoen aan de wet en aan juridische procedures. Dit haalt de wetenschap uit het laboratorium en brengt haar naar een heel andere wereld, waarin de interpretatie van het wetenschappelijk bewijsmateriaal af kan hangen van de wet. Want hoewel wetenschap in wezen universeel is – ze is hetzelfde in Glasgow, New York en Peking – is de wet plaatselijk, soms op het verbijsterende af. Het Nederlandse recht is verregaand vastgelegd in geschreven wetten; gewoonterecht komt hier niet of nauwelijks voor. Wel is een belangrijke rol weggelegd voor de jurisprudentie bij de uitleg en interpretatie van geschreven wetten. De formele wetgeving is daarmee slechts een deel van het Nederlands recht als geheel. In landen waarin de rechtspraak wel gebaseerd is op het gewoonterecht, zoals in het Verenigd Koninkrijk, de Verenigde Staten, Australië en Canada, beperken bewijsregels wat er in de rechtbank gezegd en gedaan mag worden, inclusief welk wetenschappelijk- of deskundigenbewijsmateriaal er in behandeling genomen kan worden. De wet besluit zelfstandig wat wel en niet gehoord kan worden. En de basis van het gewoonterecht (of hoor en wederhoor) systeem is het idee van het conflict: dat er altijd, voor ieder stel feiten, meer dan een standpunt, positie of interpretatie bestaat. Voor Kirk en Locard en anderen met grootse visies over uniciteit, objectiviteit en onfeilbaarheid is die wet de laatste nagel in de doodskist. Maar we moeten hun originaliteit respecteren, hun verbeeldingskracht, hun inzicht en de invloed die ze gehad hebben op wetenschappers, die ze geïnspireerd hebben om meer rigoureuze, op empirisch onderzoek gebaseerde theorieën te ontwikkelen.

Wat is forensische wetenschap? Definities zijn hier niet nuttig, omdat die meestal wel suggereren dat er een verband en wisselwerking bestaat tussen wetenschap en wet, maar geen inzicht geven in de complicaties en beperkingen van deze vreemde relatie. Volgens mij werkt omschrijven beter dan definiëren. Voor mij draait forensische wetenschap om het onderzoeken, verklaren en evalueren van juridisch relevante zaken, waaronder de identiteit, afkomst en achtergrond van mensen, materialen (verf, plastics), stoffen (drugs, vergif), en voorwerpen (kleding, schoenen). Hiervoor gebruiken we wetenschappelijke technieken of methodieken, waarmee we gebeurtenissen kunnen beschrijven, afleiden en reconstrueren. De basis van de reconstructie is de analyse en evaluatie van indirect, fragmentarisch fysiek bewijsmateriaal (wat er overblijft van de sporen) en van relevante informatie. Uit deze feiten, wanneer die volgens een vooraf bepaalde wettelijke standaard vastgesteld zijn, leidt de wetgever gedrag, motivatie en opzet af. Kort samengevat, forensische wetenschap beantwoordt de belangrijkste vragen in een strafrechtelijk onderzoek: wie, wat, waar, wanneer, hoe en waarom? Antwoorden die gevonden kunnen worden zijn onder andere de identiteit van een misdadiger of slachtoffer met behulp van DNA en vingerafdrukken, het soort schoen dat een spoor heeft achtergelaten op de plaats delict, de volgorde waarin een reeks gebeurtenissen die tot iemands dood geleid hebben zich hebben afgespeeld, wat af te leiden is uit bloedspatpatroonanalyse, van welke plek een schot afgevuurd is, of hoe een brand is ontstaan, door onderzoek op locatie, en waarom de brand zo fel was, door analyse van brandbare vloeistoffen. Veel van deze zaken zullen we in de volgende hoofdstukken in meer detail bekijken, waarbij we de processen die erbij betrokken zijn zullen bespreken, de analysemethodes, de manier waarop het bewijsmateriaal geïnterpreteerd wordt, en hoe het uiteindelijk in de rechtbank behandeld wordt.

2.   Misdaadonderzoek

Forensische wetenschap werkt binnen de complexe procedures van de wet, en krijgt te maken met strakke tijdsschema's,
spanningen en onvoorziene omstandigheden, het drama
van een strafrechtelijk onderzoek en zo nu en dan de felle
schijnwerpers van de media. Dit hoofdstuk legt uit hoe de
politie misdaad onderzoekt; het beschrijft de procedures en
principes van een onderzoek, en hoe de forensische wetenschap antwoord geeft op de belangrijke vragen die we aan het
eind van hoofdstuk 1 opgesomd hebben. Wetenschap is voor
zover we weten de beste manier om de fysieke wereld te beschrijven en te doorgronden, en forensische wetenschap heeft
de manier waarop politie misdaad onderzoekt fundamenteel
veranderd, zowel in de wetgeving en de procedures als in de
opvattingen erover, omdat ze veel van de belangrijke vragen
sneller en objectiever kan beantwoorden dan op andere
manieren mogelijk is.

Een misdrijf is een overtreding van de strafwetten waar
twee elementen voor nodig zijn: een geestelijk deel (*mens
rea* – de schuldige bedoeling) en een fysiek deel (*actus reus* –
de schuldige handeling). De *mens rea* is niet op directe,
wetenschappelijke manier vast te stellen – deze moet afgeleid
worden uit de handelingen en het gedrag van de verdachte.
Om een misdaad te plegen, moet de verdachte de bedoeling
hebben iets verkeerd te doen, en dat vervolgens uitvoeren. Een
gerechtelijk onderzoek is een zoektocht naar informatie, met
als doel een dader voor het gerecht te brengen, wat bereikt
wordt door wat er voorafging aan en wat er gebeurde tijdens
en soms na de misdaad te reconstrueren. Dit doen we door
feiten en informatie te verzamelen, getuigen te ondervragen,
documenten op te sporen, beelden van bewakingscamera's
te bekijken, en door wetenschappelijk onderzoek te doen.
Het doel hiervan is het beantwoorden van de belangrijkste

vragen: wie?, wat?, waarom?, wanneer?, waar?, hoe? Je hebt expertise, hulpmiddelen en tijd nodig om dit effectief te kunnen doen. In complexe onderzoeken zoals seriële misdaden en moorden is veel coördinatie en planning nodig, zowel tijdens het onderzoek als tijdens de rechtszaak.

In Nederland en de meeste andere Westerse landen gebruikt de politie standaardprocedures en -methodes om haar doelen te bereiken. De meeste zware misdrijven worden onderzocht door een team van rechercheurs en gespecialiseerde politieagenten, geleid door een ervaren en goed opgeleide rechercheur.

Dat forensische wetenschap een belangrijke rol is gaan spelen, is ook het gevolg van technische ontwikkelingen waardoor een professionaliseringsslag gemaakt kon worden bij het DNA-onderzoek. Er wordt veel voorzichtiger omgegaan met het plaats delict, nu hele kleine sporen bruikbare aanwijzingen kunnen geven. Deze en andere veranderingen hebben ertoe geleid dat de politie een benadering toepast die gebaseerd is op de systematische eliminatie van personen uit het onderzoek (Opsporen, Ondervragen, Elimineren (*Trace, Interview, Eliminate* – TIE)) tot er één persoon over is die de dader zou kunnen zijn. Met behulp van computers en gestandaardiseerde processen gebruikt de politie de uitgangspunten Opsporen, Interviewen, Elimineren om specifieke onderzoeksrichtingen te volgen, die ertoe leiden dat de misdaad opgelost wordt. Typische onderzoeksrichtingen zijn bijvoorbeeld:

- Wie reed er in de auto die voor het laatst gezien werd toen hij de plaats van het incident verliet?
- Wanneer is de overledene voor het laatst in leven gezien?
- Zijn er getuigen die informatie hebben in de nabijgelegen huizen? (Buurtonderzoek)
- Woont er iemand in de buurt die een strafblad heeft dat relevant is voor het onderzoek, bijvoorbeeld aanranders of inbrekers?

Om het TIE-proces te laten functioneren, is het nodig dat de onderzoeker de belangrijkste onderzoeksrichtingen vaststelt. Dit doet hij door de belangrijkste vragen die in de zaak beantwoord moeten worden te bepalen. Bijvoorbeeld: Wie is de overleden persoon? Wat heeft er plaatsgevonden? Waar hebben de dader en het slachtoffer elkaar ontmoet? Wanneer is het slachtoffer voor het laatst in leven gezien? Wat zijn de motieven van de dader? Hoe heeft hij zich van het lichaam ontdaan? Alle relevante onderzoeksrichtingen worden vastgesteld en ingevoerd in de computer die hier speciaal voor ontwikkeld is: Basisvoorziening Handhaving (BVH). Sinds 2009 maken alle politieregio's gebruik van dit systeem. Dit programma wordt dan als hulpmiddel gebruikt om prioriteit te geven aan de belangrijkste onderzoeken, om taken aan specifieke agenten toe te wijzen, en om de resultaten hiervan vast te leggen. Alle informatie wordt dan opgeslagen in een enkele database die ondervraagd kan worden, en die gebruikt kan worden om hypotheses te ontwikkelen en te testen. BVH helpt ook bij het identificeren van feiten en getuigen die elkaar bevestigen, en kan inconsistenties vinden, bijvoorbeeld in getuigenverklaringen, die dan opnieuw bekeken kunnen worden. Als we een moord als voorbeeld nemen, dan zullen er een aantal individuen hoog op de lijst staan voor TIE, zoals:

- personen die tijdens de misdaad toegang hadden tot de plaats delict;
- bekende vrienden, collega's en partners van het slachtoffer, of mensen die in de buurt wonen;
- personen met eerdere veroordelingen, vooral voor geweld;
- degenen die qua uiterlijk lijken op de vermoedelijke dader;
- eigenaars van het soort vervoermiddelen waarvan we weten of vermoeden dat ze bij de zaak betrokken zijn.

Het BVH-systeem legt ook vast op welke manier iemand geëlimineerd wordt, om er zeker van te zijn dat er niets en niemand over het hoofd gezien is. Het is opvallend dat eliminatiemethode nummer één 'forensisch' is. Deze manier van elimineren is wenselijk omdat het resultaat betrouwbaarder en objectiever is dan bij andere methodes. Alibi's van ooggetuigen, vrienden, collega's en zelfs onafhankelijke getuigen hebben allemaal hun zwakke punten, maar eliminatie door forensische wetenschap is in principe onbetwist. Alle BVH-criteria voor eliminatie op een rijtje:

1) Forensisch, bijvoorbeeld: het DNA of de vingerafdrukken van de persoon komen niet overeen met het DNA of de vingerafdrukken waarvan we weten of vermoeden dat ze afkomstig zijn van de dader.

2) Signalement: het uiterlijk van een persoon komt niet overeen met wat bekend is over de dader of wat door getuigen beschreven is.

3) Onafhankelijke getuige (alibi). Een eliminatie door bewijsmateriaal van een onafhankelijke getuige die de verdachte een alibi geeft.

4) Collega, vriend of familielid (alibi). Een eliminatie gebaseerd op bewijsmateriaal van een collega, vriend of familielid van de verdachte. Dit is van nature minder betrouwbaar dan bewijsmateriaal van een onafhankelijke getuige.

5) Echtgeno(o)t(e) of partner (alibi). Een eliminatie gebaseerd op bewijsmateriaal van een partner. Dit is het minst betrouwbare soort alibi.

6) Niet geëlimineerd. De persoon is niet geëlimineerd uit het onderzoek en daarom blijft de politie belangstelling voor hem houden. Dit betekent niet per se dat de persoon een verdachte is, hoewel hij dat onder bepaalde omstandigheden (zoals wanneer belastend bewijsmateriaal boven tafel komt) wel kan worden.

Deze methodiek wordt alleen gebruikt voor onderzoek naar zware misdaad, en er zijn behoorlijk wat vakkundigheid, financiële middelen en hulpmiddelen voor nodig. Wanneer het systematisch wordt toegepast, verzamelt het TIE-proces geleidelijk aan een enorme hoeveelheid steeds gedetailleerdere informatie over de identiteit, het gedrag, de activiteiten, relaties en geschiedenis van personen. Hieronder valt ook informatie als waar ze werken, met wie ze drinken, wat hun hobby's zijn, met wie ze relaties hebben, wie er schulden heeft, wie er plotseling veel geld heeft, wie er pas ruzie heeft gehad of gevochten heeft. Dergelijk onderzoek zal ook de relaties onthullen tussen mensen en plaatsen of voorwerpen die van belang voor het onderzoek, zoals voertuigen of plaatsen delict. Veel van deze informatie is niet interessant voor de politie omdat onderzoekers zich concentreren op wat er vastgesteld moet worden om de dader van de specifieke overtreding op te kunnen sporen en te kunnen vervolgen.

Hier komen we uit bij een ander soort 'verbeelding', die we misschien de 'onderzoekende verbeelding' kunnen noemen. De vooronderstelling hierbij is dat alle misdrijven hun geheimen prijsgeven als ze maar zorgvuldig genoeg onderzocht worden en dat dergelijke gebeurtenissen altijd gereconstrueerd, opgelost en afgesloten kunnen worden. Hoewel dit in veel gevallen zo is – zeker voor de grote meerderheid van zware misdrijven als moord – is dit in geen geval zeker. De politie zal niet alle informatie vinden die ze zoekt, ook niet als ze het meerdere keren proberen, en informatie die wel gevonden wordt blijft soms onduidelijk. Ook al bestaan er andere ideeën en verwachtingen bij het grote publiek, we kunnen niet alles te weten komen. Onderzoek doen wordt vaak vergeleken met een legpuzzel – zolang je alle puzzelstukjes hebt, heb je alleen tijd en volharding nodig om de puzzel op te lossen. Maar er zijn een aantal redenen waarom dit een gebrekkige analogie is voor een complexe gebeurtenis als een zwaar misdrijf. Zelfs wanneer de misdaad opgelost is en voor de rechter wordt gebracht, is de puzzel zelden compleet. En dat is ook niet nodig, omdat de wet niet verwacht dat iedere vraag beantwoord wordt, alleen dat cruciale feiten bewezen worden en dat redelijke alternatieven geëlimineerd zijn. Al deze feiten worden verwerkt door een contentieus rechtssysteem, waarin ieder verhaal altijd twee kanten heeft: er bestaat altijd een alternatieve verklaring, er ontbreekt altijd een stukje van het verhaal. Onderzoeken en rechtszaken zijn onzeker, onderworpen aan bewijsregels en procedures en beperkt in hoeveel tijd en geld eraan te besteden is. Een rechtszaak is alleen in deze heel beperkte zin een zoektocht naar de waarheid.

Het onderzoek naar veel verschillende soorten misdaad kan ondersteund of opgelost worden door een groot aantal verschillende forensische analyses die 'wie, wat, waarom, wanneer, waar en hoe' kunnen beantwoorden. Bepaalde soorten forensisch bewijsmateriaal worden in de regel geassocieerd met bepaalde soorten misdaad, hoewel dat niet altijd opgaat. Tabel 1 geeft een idee van de soorten forensisch bewijsmateriaal die de belangrijkste onderzoeksvragen kunnen beantwoorden en vat veel van wat we in volgende hoofdstukken zullen bekijken samen. De twee belangrijkste methoden om mensen (zowel dood als levend) te identificeren zijn DNA en vingerafdrukken; de rechtbank beschouwt bewijsmateriaal dat daardoor geleverd wordt als onweerlegbaar. Sporen, waaronder voetsporen en sporen die gemaakt zijn door gereedschap, kunnen voorwerpen die ze gemaakt hebben identificeren en een verband leggen tussen een voorwerp en een plaats delict (en indirect tussen een voorwerp en de persoon die het in bezit heeft), en kunnen verbanden leggen tussen verschillende plaatsen delict, wat als bewijsmateriaal of ter informatie kan dienen.

In sommige zaken zijn de vragen die beantwoord moeten worden relatief simpel: bevatten de pakketjes die de politie in beslag heeft genomen amfetamine? Deze vraag kan beantwoord woorden met een standaard scheikundige analyse. Andere zaken roepen veel ingewikkelder vragen op: welke reeks gebeurtenissen heeft tot een overlijden geleid? De meeste zaken worden opgelost door een combinatie van verschillende soorten bewijsmateriaal. Bijvoorbeeld, er wordt een verband gelegd tussen een persoon en een mobiele telefoon met behulp van DNA of vingerafdrukken, en analyse van GSM-masten (die signalen van mobiele telefoons kunnen volgen) stelt vast waar de persoon was toen de telefoon gebruikt werd. De precieze context van de zaak bepaalt welke vragen de politie zal stellen en daardoor welke wetenschappelijke tests er uitgevoerd moeten worden. Hoewel sommige soorten bewijsmateriaal over het algemeen beter zijn dan andere, bepaalt in een onderzoek de context van de zaak de echte waarde ervan. De precieze details van het incident – tijdsverloop, locatie, ander bewijsmateriaal – en alternatieve verklaringen moeten samengevoegd worden om de uiteindelijke relevantie van het bewijsmateriaal vast te stellen.

Tabel 1: Onderzoektoepassingen van forensische wetenschap

Onderzoek-toepassing	Techniek/onderzoek	Voorbeelden
Identificatie van personen	DNA, vingerafdrukken	Slachtoffers, verdachten, getuigen, lichaamsdelen
Identificatie van voorwerpen	Schoenafdrukken, sporen van gereedschappen, afdrukken van textiel, patroonhulzen	Vaststellen van het merk en model van een schoen aan de hand van het patroon op de zool of het soort gereedschap aan de hand van algemene eigenschappen van een spoor
Identificatie van materialen en stoffen	Analyse van drugs, verf, brandbare vloeistoffen	In beslag genomen pakketten uit de drugshandel, brandversnellers bij brandstichting
Een verband leggen met personen	Bloed, haren, vezels, lichaamsvloeistoffen, DNA	Een verband leggen tussen slachtoffers en verdachten voor een groot aantal overtredingen

Onderzoek-toepassing	Techniek/onderzoek	Voorbeelden
Een verband leggen met voorwerpen	Fysieke overeenkomsten, sporen (schoenen, gereedschappen, etc.), strepen en sporen van het productieproces, microsporen	Een verband leggen tussen een patroonhuls en een vuurwapen, tussen sporen en schoenen, tussen vezels en kleding
Voorwerpen vinden en plaatsen	Analyse van GSM-torens, schoenafdrukken, stuifmeel en sporen van planten, aarde en vuil	Schoenafdrukken op het punt van binnenkomst, bandsporen in modder
Tijdsverloop van gebeurtenissen	Analyse van GSM-torens, combinaties van bewijsmateriaal, bijvoorbeeld schoenafdrukken in bloed	Mobiele telefoon gebruikt in de nabijheid van een beroving, vingerafdrukken in bloed
Een verband leggen tussen personen en voorwerpen	DNA, vingerafdrukken, microsporen (vezels, glas, verf), kruitsporen	Een verband leggen met vuurwapens, maskers, wapens, kleding, verpakking van drugs, een drinkglas, een dreigbrief
Een verband leggen tussen gebeurtenissen	Schoenafdrukken, sporen van gereedschappen, vingerafdrukken, DNA, gegevens van mobiele telefonie	Een verband leggen tussen verschillende plaatsen delict
Informatie leveren	DNA, vingerafdrukken, schoenafdrukken, sporen van gereedschappen, patroonhulzen	Nationale en plaatselijke informatiedatabases: DNA, vingerafdrukken, schoenen
Gebeurtenissen reconstrueren	Bloedspatpatronen, onderzoek naar branden, terugvinden van kogels	De brandhaard bepalen, het verloop van een aanval vaststellen door analyse van bloedspatpatronen

Dit idee is makkelijker uit te leggen met beelden dan met woorden, zoals te zien is in figuur 2 en 3. Op beide foto's staan sporen die gebruikt kunnen worden om het type schoen te

2. *Schoenafdruk in zand.*

bepalen, en mogelijk ook om de specifieke schoen te identificeren die dat spoor achtergelaten heeft. Het tijdstip waarop
beide sporen gemaakt zijn kan – binnen zekere grenzen – ook
redelijk precies vastgesteld worden. De een is in het zand op
een strand gemaakt en kan alleen achtergelaten zijn tussen
twee vloeden. De ander is in beton gemaakt en kan alleen
achtergelaten zijn toen dat nat was. Eén afdruk is tijdelijk en
blijft maar een paar uur bestaan, de ander is een permanent
kenmerk van de locatie geworden. De schoenafdruk heeft op
zichzelf geen vaste waarde als bewijsmateriaal; de relevantie
wordt bepaald door de context rondom de afdruk.

We hebben de aard van misdaad besproken, en de processen die betrokken zijn bij het onderzoek ervan. Forensische
wetenschap kan vaak antwoord geven op vragen die ontstaan
naar aanleiding van een onderzoek, en we hebben de eerste
verbanden gelegd tussen bepaalde vragen en soorten forensisch bewijsmateriaal. Over het algemeen is er een combinatie
van verschillende soorten bewijsmateriaal nodig, en het
belang hiervan hangt af van de precieze context van de zaak.

3. Schoenafdruk in nat beton.

In het volgende hoofdstuk zullen we, beginnend bij de plaats delict, zien hoe het politieonderzoek en de wetenschappelijke analyses geïntegreerd worden om de belangrijkste aspecten van een zaak aan te kaarten.

3. Beheer van de plaats delict en forensisch onderzoek

> Vraag: Kun je de aanwezigheid van adrenaline aantonen als
> iemand die nu overleden is ermee geïnjecteerd is?
> Antwoord: Dat weet ik niet – wat is je hypothese? Dan kunnen
> we uitzoeken hoe we dit zouden kunnen testen.
> Vraag: Heb je *Pulp Fiction* gezien … ?

Forensische wetenschap wordt gedreven door vragen die
buiten het laboratorium ontstaan, in rommelige, ingewikkelde
situaties vol afleiding, zoals plaatsen delict. Het bovenstaande
citaat laat zien hoe makkelijk mensen vragen gaan bedenken
omdat er misschien een wetenschappelijke manier is om ze
te beantwoorden, in plaats van omdat het op dat moment
de juiste vraag is om te stellen. Om de aandacht gevestigd te
houden op relevante vragen die redelijkerwijs beantwoord
kunnen worden door de wetenschap, moet er een realistische
hypothese geformuleerd worden over de gebeurtenissen die
hebben plaatsgevonden. Dit is een belangrijke kwestie die
we in dit hoofdstuk zullen bekijken, samen met de uitgangspunten en de praktijk van het beheer van een plaats delict.

Om er zeker van te zijn dat er zo veel mogelijk potentieel
bewijsmateriaal verzameld wordt voor een onderzoek, beginnen
de procedures al op de plaats delict. Het beheer van een plaats
delict dient om het bewijsmateriaal en de informatie die op de
plaats van het incident te vinden zijn te beheersen, te behouden,
te registreren en veilig te stellen volgens de wettelijke voorschrif-
ten en de gepaste professionele en ethische normen. Hoewel het
over het algemeen 'beheer van de plaats delict' genoemd wordt,
zouden we het eigenlijk 'beheer van de plaats van het incident'
moeten noemen, omdat sommige zaken, zoals een gasexplosie

die per ongeluk ontstaan is, geen misdrijven zijn. In andere gevallen kan 'is dit een misdrijf?' de centrale onderzoeksvraag zijn – het is daarom geen goed idee om van te voren een oordeel over de zaak uit te spreken. Om het overzichtelijk te houden, zullen we hier standaard de term plaats delict gebruiken, maar we erkennen dat dit onzorgvuldig is.

De fysieke kenmerken van plaatsen delict kunnen heel ver uiteenlopen, maar veel voorkomende plaatsen delict zijn onder andere huizen, auto's en werkplaatsen. Ik heb ook plaatsen delict onderzocht op locaties die minder vaak voorkomen: akkers waar kool verbouwd werd, gesloten psychiatrische instellingen, spoorwagens, velden, en autowegen. Ieder soort plaats delict vraagt om een ander soort beheer, maar het belangrijkste punt is de reden waarom hij onderzocht wordt. Bij veel onderzoeken zijn er meerdere plaatsen delict. Bij een moord kunnen naast de plaats waar het lichaam gevonden is ook het huis en het vervoermiddel van de verdachte bestempeld worden als plaatsen delict.

De opsporingsambtenaar, die altijd een politieagent is, is eindverantwoordelijk voor de plaats delict. Bij zware misdaden werkt deze agent in Nederland nauw samen met een aantal specialisten, en in het bijzonder met de beheerder van de plaats delict, die gedetailleerd advies geeft over hoe de plaats delict behandeld moet worden. Hieronder valt advies over de potentiële waarde van verschillende soorten bewijsmateriaal voor het onderzoek, zowel in het algemeen als specifiek, over de meerwaarde van het inschakelen van deskundigen op gebieden als ballistiek, bloedspatpatronen of brandonderzoek, en de coördinatie van alle handelingen die nodig zijn om de plaats delict effectief te onderzoeken. Hij of zij moet zorgen dat een patholoog het lichaam kan onderzoeken, een forensische strategie overeenkomen met de leider van het onderzoek, en doorlopend contact onderhouden met laboratoria voor forensische wetenschap, individuele deskundigen en het onderzoeksteam. Bij zware misdrijven is het beheer van de plaats delict lichamelijk en geestelijk zwaar en de beheerder moet goed op de hoogte zijn van onderzoeksprocedures en forensische wetenschap, en moet een uitstekende planner zijn, goed kunnen communiceren, en een team kunnen leiden. Een beheerder van de plaats delict in een grote zaak zal een team van onderzoekers hebben om het noodzakelijke werk te verrichten.

Op voorwaarde dat het veilig is om de plaats delict te betreden, bestaat de eerste fase van het beheer ervan uit het veiligstellen van de locatie en ervoor zorgen dat hij behouden blijft in een toestand die de oorspronkelijke staat van de plaats delict, zoals hij was op het moment dat het misdrijf gepleegd werd, zo veel mogelijk benadert. Dit betekent dat alle aanwezige getuigen en toeschouwers verwijderd moeten worden, en dat ervoor gezorgd moet worden dat niemand die geen goede reden heeft om aanwezig te zijn de locatie nog betreedt. De plaats delict wordt fysiek beveiligd met twee kordons. Deze worden opgericht rond de directe (binnenste) plaats delict (bijvoorbeeld het huis waar een lichaam gevonden is) en rond een gebied dat relevant kan zijn voor het onderzoek en dat veel groter kan zijn. Dit kan een straat zijn, of een deel van een veld. In de eerste stadia van het onderzoek dient dit buitenste cordon als een algemeen controlepunt om te zorgen dat de toegang uiterst beperkt is. Iemand, gewoonlijk een politieagent in het binnenste cordon, houdt in een logboek bij wie er binnenkomt, op welk tijdstip en met welk doel. Dit is een formeel, rechtsgeldig document dat ingediend wordt bij de rechtbank en dat bij iedere volgende rechtszaak geïnspecteerd kan worden. Plaatsen delict trekken veel aandacht van mensen die er niets te zoeken hebben, inclusief bemoeials, journalisten en zo nu en dan de dader. Deze eenvoudige veiligheidsmaatregelen bewaken de toegang tot en beheren de integriteit van de plaats delict, en minimaliseren verstoring, inmenging en besmetting.

Er bestaan veel mythen en misverstanden over besmetting; ik zal er hier een paar van noemen. De eerste is dat er op iedere plaats delict alle mogelijke voorzorgsmaatregelen worden genomen om besmetting te voorkomen (beschermende pakken, overschoenen, chirurgenmutsen, handschoenen, etc.). Dat is niet altijd zo. De meeste plaatsen delict (inbraken, gestolen voertuigen) worden onderzocht door agenten die dergelijke bescherming niet gebruiken, hoewel ze over het algemeen wel handschoenen en maskers dragen wanneer ze (DNA)monsters nemen. De tweede is dat besmetting volledig voorkomen kan worden door de hierboven beschreven beschermende kleding te dragen en door de plaats delict goed te beheersen. Die overtuiging is ongegrond. Als je Locards principe accepteert, dan moet je ook accepteren dat een plaats delict waarschijnlijk door ieder onderzoek op de een of andere manier verstoord en 'besmet' raakt. Ten slotte, de aanname dat omdat iemand (om wat voor deden dan ook) de 'aanbevolen' procedures tegen besmetting niet gevolgd heeft, betekent niet dat besmetting automatisch zal plaatsvinden en van invloed zal zijn. We zullen hierop terugkomen in hoofdstuk 7. Tabel 2 geeft een overzicht van de voornaamste principes en praktijken die voor het beheer van de meeste plaatsen delict vereist zijn.

Voor er een begin gemaakt wordt met het onderzoek van de plaats delict, moet hij precies vastgelegd worden, in een toestand die zo dicht bij het origineel ligt als mogelijk. Er zijn een aantal redenen waarom dit essentieel is. Ten eerste schrijft de wet voor (of spreekt in ieder geval de verwachting uit) dat zowel de aanklager als de verdediging in iedere volgende rechtszaak toegang hebben tot een gedetailleerd verslag. Het dient ook als een bron van informatie om diegenen die betrokken zijn bij het onderzoek maar die niet op de plaats delict konden zijn op de hoogte te brengen. Ten slotte helpt het bij de reconstructie van de gebeurtenissen en zorgt dat interpretaties gecontroleerd en geëvalueerd kunnen worden aan de hand van de oorspronkelijke feiten. De plaats delict wordt vastgelegd met behulp van documenten (aantekeningen, plattegronden, diagrammen, getuigenverklaringen), beelden (foto's, videobeelden en andere gespecialiseerde middelen), en soms met gedicteerde aantekeningen. Dit alles dient om een lopend verslag op te bouwen van het moment van ontdekking en het eerste onderzoek van het incident.

Vervolgens begint het veiligstellen van het bewijsmateriaal, in een van te voren vastgestelde volgorde en volgens een overeengekomen zoekstrategie. Omdat er waarschijnlijk meerdere mensen bij het onderzoek betrokken zijn, is het van vitaal belang dat iedereen zijn of haar specifieke rol kent en dat de hele plaats delict volledig en systematisch onderzocht wordt. Wat er veiliggesteld wordt (en waar naar gezocht wordt) hangt af van de aard van de gebeurtenis. Sommige dingen liggen voor de hand – als iemand gedood is door messteken, zal het opsporen van het wapen voorrang hebben, en in een schietpartij het terugvinden van de kogels. Over het algemeen zijn verschillende soorten documenten vaak relevant voor het onderzoek. Bijvoorbeeld, een paspoort – is het echt of vals? Bankafschriften – zit de persoon diep in de schulden of heeft hij op onverklaarbare wijze veel geld? Ten slotte kan het zijn dat er bewijs van criminele activiteiten gevonden wordt, zoals drugs, die irrelevant zouden kunnen zijn maar ook centraal zouden kunnen staan in een territoriumstrijd tussen leveranciers.

Tabel 2: Principes en praktijk van het beheer van een plaats delict

Principe	Praktijk	Opmerkingen
Beheer	Oprichten van een binnenste en een buitenste cordon, logboek van de plaats delict: verslag met datum en tijd van iedereen die de plaats delict betreedt en verlaat, het voorkomen van onnodige bezoekers.	Gebruik natuurlijke en door de mens geconstrueerde zaken (beekjes, wegen, voetpaden) als grenzen, denk aan een ontmoetingspunt voor personeel dat de locatie moet bezoeken, hou rekening met belangstelling van journalisten en de behoeften van buurtbewoners.

Principe	Praktijk	Opmerkingen
Behoud	Minimaliseer verstoring en besmetting, beperk de toegang tot onmisbaar personeel, één gedeeld toegangspad, persoonlijke beschermende kleding: overall met de capuchon op, masker, overschoenen.	Plaatsen delict in de open lucht kunnen onmiddellijke bescherming tegen de elementen nodig hebben, of onmiddellijk onderzocht moeten worden. Gewoonlijk worden er tenten over lichamen geplaatst om de plaats delict te beschermen en voor geheimhouding te zorgen.
Vastleggen	Verslagen moeten lopend zijn, met andere woorden, tijdens of kort na het onderzoek geschreven worden, wanneer de herinnering nog 'scherp' is. Gebeurt dit niet, dan is het mogelijk dat je er niet naar mag verwijzen in volgende rechtszaken of dat de juistheid ervan aangevochten kan worden.	Bevat geschreven aantekeningen, schetsen en plattegronden, gedicteerde notities, foto's en filmbeelden. Belangrijke gesprekken of beslissingen moeten vastgelegd, gedateerd en van een tijdstempel voorzien worden.
Veiligstellen	Systematisch zoekplan, logische volgorde van veiligstellen, voorwerpen moeten op de juiste manier verpakt en gelabeld worden, gedetailleerd logboek van aangetroffen voorwerpen.	Wijs rollen en taken toe aan specifieke personen, hou in de gaten of de taken voltooid worden en leg dat vast, hou bij traumatische incidenten rekening met uitputting en overbelasting.

Het is van essentieel belang dat alle voorwerpen die verzameld worden op de juiste manier gelabeld worden om de continuïteit (van de plaats delict tot de rechtbank) te behouden, en dat ze op de juiste manier verpakt worden om besmetting te voorkomen, schade te minimaliseren en de kans om bewijsmateriaal te vinden zo groot mogelijk te maken. Verschillende soorten voorwerpen hebben heel verschillende verpakkingen nodig, en een van de zwaarste verantwoordelijkheden van de beheerder van de plaats delict is ervoor zorgen dat verpakkingen voldoen aan de eisen die het laboratorium stelt. Een nat, met bloed bevlekt voorwerp op de verkeerde manier verpakken kan de kans dat er een DNA-profiel aan ontleend kan worden verkleinen, en een voorwerp dat microsporen kan bevatten niet luchtdicht verpakken zou ertoe kunnen leiden dat het tijdens een rechtszaak niet toegelaten wordt als bewijsmateriaal. Er bestaan zulke grote verschillen in het verpakkingsmateriaal omdat er tijdens onderzoeken zo veel verschillende voorwerpen aangetroffen worden, en omdat er verschillende soorten forensische tests beschikbaar zijn. Hoewel de details sterk verschillen, voldoet ieder soort verpakking aan een aantal relevante principes, waaronder:

- het voorwerp beschermen tegen de buitenwereld; het dient als barrière tegen besmetting met toevallig aanwezige materialen;
- het voorkomen dat er materiaal (vooral microsporen) van het voorwerp verloren gaat;
- degenen die het voorwerp hanteren en vervoeren beschermen tegen verwondingen, bijvoorbeeld van glasscherven of scherpe wapens;
- personen beschermen tegen blootstelling aan infectie, bijvoorbeeld door virussen die overgedragen worden via het bloed (HIV, hepatitis B en C);
- transport, hanteren en opslag eenvoudig mogelijk maken.

Tabel 3 geeft een overzicht van de verschillende verpakkingsmethoden die gebruikt worden voor talrijke voorwerpen en soorten bewijs. Het geeft een idee van hoeveel grondige kennis er nodig is om ervoor te zorgen dat ieder voorwerp op de juiste manier behandeld wordt en het laboratorium bereikt in een toestand die de kans dat bewijsmateriaal teruggevonden wordt zo groot mogelijk maakt.

Tabel 3: Verpakking van forensisch bewijsmateriaal

Voorwerp	Verpakking	Opmerkingen
Droge kleding	Papieren zakken	Opbergen in een koele, droge omgeving. Ook geschikt voor andere droge materialen (plantfragmenten, fijn gruis, aarde en vuil).
Natte kleding	Plastic zakken	Zo snel mogelijk drogen onder beheerste omstandigheden of onmiddellijk naar het laboratorium vervoeren.
Schoenen	Papieren zakken	Schoenen in plastic zakken gaan heel snel schimmelen.
Documenten	In een folder in een envelop of plastic zak.	Folders voorkomen dat er per ongeluk indrukken op het voorwerp worden achtergelaten.
Drinkglazen, afgietsels van schoenafdrukken	Stijve kartonnen doos in een plastic zak.	Voorwerpen moeten in de doos vastgezet worden.
Sigarettenpeuken	Steriel doosje, envelop, plastic of papieren zak	Opslaan in een koele, droge omgeving.
Haren	Plastic zak of envelop	Opslaan in een koele, droge omgeving.
Bloedschraapsels	Klein steriel reageerbuisje	Opslaan in een koele, droge omgeving.
Wapens/gereedschappen	Stijve transparante plastic buizen of kartonnen doos in plastic zak	Als ze in een doos gelegd worden, moeten de voorwerpen vastgezet worden.
Injectienaalden	Stijve transparante plastic buis	Stijve verpakking beschermt degenen die het voorwerp hanteren tegen verwondingen door de prik van een naald.
Nat plantaardig materiaal	Plastic zakken	Binnen 24 uur drogen om de groei van schimmel te voorkomen.

Voorwerp	Verpakking	Opmerkingen
Gebroken glas	Plastic zak in een kartonnen doos	
Verffragmenten	In papier in een plastic zak of envelop	Ook geschikt voor kleine hoeveelheden fijn, droog materiaal, bijvoorbeeld poeders.
Tape met vezels	Verzegeld in individuele plastic zakken of enveloppen	Plastic zakken zijn geschikter omdat de tape dan bestudeerd kan worden zonder de zak te openen.
Nat fijn gruis	Plastic petrischaal-tje in een plastic zak	
Puinmonsters uit een brand	Nylon zakken of verzegelde glazen/metalen bak, met deksel van folie als het monster vloeibaar is	Vluchtige vloeistoffen kunnen door plastic heen dringen.
Drugs	Plastic zakken	Zakken krijgen gewoonlijk een uniek serienummer om naar ieder individueel monster te kunnen verwijzen.

Hoewel veel aspecten van het beheer van een plaats delict procedureel zijn, is het belangrijk dat je altijd rekening houdt met de gevolgen die handelingen en beslissingen voor het onderzoek kunnen hebben. Als je een logische maar onvoorziene mogelijkheid ziet om iets te onderzoeken, is het mogelijk dat je daarmee andere mogelijkheden die later van waarde blijken te zijn uitsluit. Over dergelijke beslissingen moet overeenstemming bereikt worden, en ze moeten vastgelegd worden omdat het kan zijn dat ze gerechtvaardigd moeten worden in latere rechtszaken.

Forensische strategieën

In *Pulp Fiction* komt een scène voor waarin John Travolta een injectiespuit vol adrenaline in Uma Thurmans hart steekt, wat haar onmiddellijk bijbrengt. Medisch gezien zou dit mogelijk kunnen zijn, maar het is allesbehalve routine en niet ongevaarlijk. Het probleem is dat mensen waarde kunnen gaan hechten aan dergelijke verzonnen gebeurtenissen, iets wat gewoonlijk het 'csi-effect' genoemd wordt. In verband met een aan drugs gerelateerd overlijden vroeg de leider van het onderzoek me of je adrenaline op kon sporen in een lichaam. Hij gaf me geen andere informatie. Adrenaline is een natuurlijke stof die je in het lichaam verwacht te vinden, en tenzij er enorme hoeveelheden aanwezig waren, leek het me onwaarschijnlijk dat dit de meest efficiënte onderzoeksrichting was. Een ervaren forensisch wetenschapper herkent direct dat dergelijke vragen afleiden van werkelijk belangrijke zaken omdat ze op de verkeerde manier geformuleerd zijn: als wetenschappelijke vragen in plaats van als onderzoeksvragen. Ik antwoordde dat ik het niet wist (al kon ik er wel naar raden), maar vroeg ook wat hij wilde bewijzen – dit is hoe de vraag geformuleerd had moeten worden. Pas toen onthulde hij het *Pulp Fiction*-scenario. Deze benadering komt helaas vrij vaak voor wanneer de politie gebruik maakt van forensische wetenschap, al is het me nog steeds niet duidelijk waarom. Een veel betere benadering is een hypothese formuleren en dan bepalen welke wetenschappelijke tests deze hypothese kunnen ondersteunen of weerleggen. In de *Pulp Fiction*-zaak is de hypothese dat een injectiespuit gevuld met adrenaline in iemands hart is gestoken. Hoe zouden we dit kunnen testen? Mogelijke onderzoeksrichtingen zouden kunnen zijn:

– vaststellen of er getuigen waren (er waren er geen; iedereen was verdoofd door drugs);
– op zoek gaan naar fysiek bewijs van de gebeurtenis – injectiespuiten, ampullen met adrenaline (voor zover ik wist waren er geen gevonden);
– monsters uit het lichaam testen (als dit mogelijk is);
– het lichaam onderzoeken om te zien of er een gat ter grootte van een naald in de borstkas zit.

Er zijn andere mogelijkheden, maar van de bovenstaande suggesties is een onderzoek van het lichaam het snelst, simpelst, makkelijkst te interpreteren en het kan aan een rechter of aan wie dan ook aangetoond worden met behulp van een foto. Het krijgt mijn stem.

De leider van een onderzoek is omringd door specialisten en deskundigen, zowel van de politie als uit andere vakgebieden. Leiders kunnen nooit alle mogelijke oplossingen en procedures kennen – waar zouden ze anders deskundigen voor nodig hebben? Hun belangrijkste rol is leiden, coördineren, zorgen dat het onderzoek zich concentreert op de belangrijkste kwesties die opgelost moeten worden, en die oplossen op de beste, snelste en efficiëntst mogelijke manier. Verbeelding en geliefde theorieën zorgen veel te gemakkelijk voor doelverschuiving (*mission creep*) in het onderzoek, maar dit kan voorkomen worden door een forensische strategie te ontwikkelen met een klein team, wat ervoor zorgt dat de aandacht geconcentreerd blijft op de onderzoeksvragen en dat op vaste tijden (dagelijks in de eerste stadia van een groot onderzoek) de voortgang controleert. Een typisch forensisch managementteam bestaat uit de onderzoeksleider, diens assistent en alle relevante forensisch specialisten: patholoog, branddeskundige, expert op het gebied van schoenafdrukken – wie er maar kan helpen de problemen op te lossen. De bijeenkomsten worden officieel gedocumenteerd, zodat er een doorlopend verslag is en het voor iedereen duidelijk is waar de prioriteiten liggen. Een van de belangrijkste taken van het forensisch managementteam is het administreren van de voorwerpen die ingediend moeten worden bij het forensisch laboratorium, waarbij duidelijk gespecificeerd wordt wat er voor het onderzoek nodig is en waarbij de resultaten constant gevolgd worden. Voor het wetenschappelijke team dat aan de zaak werkt moeten het ingediende papierwerk en bijgewoonde vergaderingen met absolute zekerheid duidelijk maken wat de prioriteiten zijn, zodat het team adequaat kan reageren.

Het forensisch managementteam helpt ook een ander algemeen voorkomend probleem te bestrijden. Veel wetenschappers begrijpen de onderzoeksmethoden die de politie gebruikt niet helemaal, en worden ook niet volledig op de hoogte gehouden van veranderde prioriteiten in een onderzoek. Tabel 4 geeft een overzicht van de diverse soorten bewijs en alle verschillende terreinen en wetenschappers die bij een onderzoek betrokken kunnen zijn – dit geeft een idee van de complexiteit van het probleem. Hoewel er bij een moordonderzoek over het algemeen lichaamsvloeistoffen en wapens onderzocht worden, kan bijna ieder ander soort bewijsmateriaal een rol spelen. Het is afhankelijk van de aard van de zaak en de kwesties die onderzocht, bewezen of geëlimineerd moeten worden. Bij zedenmisdrijven, aanranding, roof en onderzoek naar botsingen kunnen ook veel verschillende soorten bewijsmateriaal betrokken zijn. Bij fysieke aanvallen is DNA is over het algemeen het meest waardevol, en vingerafdrukken kunnen in bijna ieder type onderzoek nuttig zijn. Bij sommige misdrijven, zoals fraude, zijn relatief weinig verschillende soorten bewijsmateriaal betrokken (handschriften, documenten, computeronderzoek) en andere, zoals rijden onder invloed, vertrouwen op een enkel soort bewijsmateriaal (hoeveelheid alcohol in het bloed).

Soms is het effectiever, sneller of gemakkelijker om de specialist naar de plaats delict te laten komen. Bij onderzoek naar botsingen en branden, waarbij het grootste deel van het onderzoek op de plaats delict zelf gedaan wordt en het ondersteund wordt door vervolgonderzoek in het laboratorium, is dit de standaardprocedure. Voor de meeste andere gebieden van de forensische wetenschap is dit echter niet gebruikelijk. In botsings- en brandonderzoek zijn de specialisten waarschijnlijk geïnteresseerd wat er kort voor het incident gebeurd is, en ze kunnen ook informatie van ooggetuigen nodig hebben, wat makkelijker te verkrijgen is op de plaats delict. De beslissing om een specialist naar de plaats delict te halen is een afweging tussen de last van een extra persoon op de locatie, met wie rekening gehouden moet worden in de planning, en de voordelen van direct overleg tussen de onderzoeker en de expert. Bij schietpartijen waarbij meerdere slachtoffers gevallen zijn en branden waarbij iemand overleden is of waardevol bezit verloren is gegaan zijn ook vaak specialisten op de plaats delict aanwezig. Bij de eerste kunnen een patholoog en vuurwapenexpert samenwerken om het incident te reconstrueren aan de hand van de posities van de lichamen, verwondingen, locaties van patroonhulzen, en schade die kogels in de omgeving hebben aangericht. Het grootste nadeel van deze benadering is dat de lichamen moeten blijven liggen tot de specialisten hun onderzoek voltooid hebben, wat voor problemen kan zorgen als het onderzoek lang duurt of als de locatie in de open lucht ligt.

Een gebied van de forensische biologie dat nuttig kan zijn op een plaats delict (en in het laboratorium) is bloedspatpatroonanalyse (BPA). Bewijsmateriaal dat ontleend is aan bloedspatpatronen kan helpen bij de reconstructie van incidenten, alternatieve verklaringen elimineren en informatie leveren over de volgorde waarin gebeurtenissen zich hebben afgespeeld, wat nuttig is om te weten voor de verdachten ondervraagd worden. Bloed is een samengestelde vloeistof die bestaat uit een suspensie van cellen, eiwitten, zouten en enzymen. Bloeddruppels volgen natuurkundige wetten, en wetenschappers gebruiken hun kennis daarvan, en van de manier waarop bloedpatronen ontstaan, om de plaats delict te interpreteren. Voor bloedspatpatroonanalyse is kennis nodig van de dynamiek van bloeddruppels, en expertise om, rekening houdend met andere beschikbare informatie, logische verbanden te leggen tussen verwante bloedpatronen

Wanneer er kracht uitgeoefend wordt op vloeibaar bloed, bijvoorbeeld wanneer iemand die bloedt een stomp krijgt of met een wapen geraakt wordt, verstrooien kleine bloeddruppeltjes zich. Hoeveel druppels er zijn en hoe groot ze zijn

Tabel 4: Soorten misdrijven en forensisch bewijs

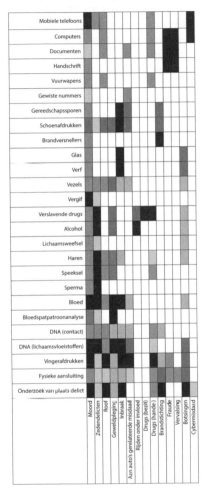

Sleutel: Zwart, gewoon of routine; donkergrijs, af en toe of waar relevant; lichtgrijs, zelden; blanco, niet van toepassing

hangt af van verschillende factoren, zoals de kracht die op het bloed uitgeoefend werd en hoeveel bloed er was. Druppels kunnen zich tot vier meter van het inslagpunt verplaatsen, en de afstand die ze afleggen hangt af van het formaat: grote druppels komen verder dan kleine. Wanneer ze landen vormen de druppels een vlek waarvan de vorm de richting en de hoek van inval aangeeft. Door een triangulatie, waarbij een aantal druppels gebruikt worden, kan vastgesteld worden

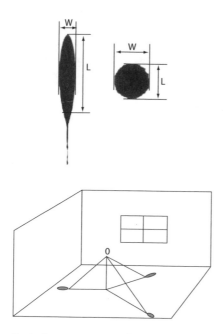

0 = punt van oorsprong van de spatten

4. Berekenen van de inslaghoek van bloedvlekken (boven) en schatten van de plaats van oorsprong van de bloedspatten (onder). De hierboven getoonde bloedvlekken raakten het oppervlak bij benadering op 138 (linksboven) en 908 (rechtsboven).

wat het punt van oorsprong van het patroon was en daaruit volgend waar iemand was op het moment dat hij geraakt werd. Je kunt de inslaghoek van iedere vlek berekenen door de verhouding tussen de breedte en de lengte van de vlek te nemen, wat de sinus van de hoek geeft. In figuur 4 is te zien hoe de inslaghoek berekend wordt en hoe de schatting van de plaats van oorsprong van bloedvlekken gedaan wordt. Er bestaan ook een aantal herkenbare bloedvlekpatronen die ontstaan uit specifieke gebeurtenissen en die makkelijk te identificeren zijn. Deze worden geschetst in tabel 5.

Tabel 5: Karakteristieke bloedvlekpatronen. Interpretatie van deze patronen, rekening houdend met andere beschikbare informatie of bewijsmateriaal, kan helpen de gebeurtenissen op de plaats delict te reconstrueren

Smeer/Contact	Geeft aan dat er contact is geweest tussen een met bloed bevlekt voorwerp en een ander oppervlak.
Druppels	Gevallen bloeddruppels. In een rechtlijnig patroon wijst dit meestal op beweging (een spoor).
Inslag	Een stervormig patroon dat voornamelijk uit kleine spatten (rond 1 millimeter) bestaat, veroorzaakt door een uitgeoefende kracht die het bloed verspreidt. Houdt over het algemeen verband met geweld.
Slagaderlijk	Een opvallend patroon, veroorzaakt door bloed dat uit een beschadigde ader stroomt.
Afgeworpen	Een lijnvormig patroon van vlekken dat veroorzaakt wordt doordat bloed van een bewegend voorwerp afgeworpen wordt, meestal van een wapen zoals een hamer in geweldsmisdrijven.

Niet alle patronen zijn eenvoudig te identificeren; sommige patronen zijn gefragmenteerd en moeilijk te interpreteren. Gewoonlijk vind je de mooiste patronen op gladde oppervlakken van stabiele of onbeweeglijke, lichtgekleurde voorwerpen zoals muren of zware meubels. Voorwerpen die verschoven of verplaatst kunnen worden staan misschien niet meer op hun oorspronkelijke plaats, wat de interpretatie kan beïnvloeden. De analist moet in drie dimensies denken en proberen logische verbanden tussen patronen vast te stellen. Tegelijkertijd moet hij rekening houden met al het bewijs dat zijn conclusies tegen lijkt te spreken omdat dit misschien kan wijzen op een betere alternatieve verklaring. Bloedspatpatroonanalyse kan onder andere informatie leveren over: waar en op hoeveel plaatsen een aanval heeft plaatsgevonden; de volgorde waarin de aanvallen gepleegd zijn en waar ze begonnen; de posities van het slachtoffer en de dader tijdens het incident; hoe dicht een persoon zich bij de bloedspatten bevond; of het lichaam na de aanval verplaatst is. Het resultaat van een dergelijk onderzoek is subjectief en zelden onweerlegbaar, maar toch kan het erg nuttig zijn bij een bepaald soort overtredingen, zoals bij moorden waarbij veel geweld gebruikt is en veel bloed vergoten is.

Om forensische wetenschap effectief toe te passen in een strafrechtelijk onderzoek is het absoluut noodzakelijk dat de plaats delict op de juiste manier beheerd wordt. Als de plaats delict niet beschermd wordt en er niet gelet wordt op besmetting en continuïteit van het bewijsmateriaal, heeft dat grote gevolgen voor een onderzoek en kan het belangrijke onderzoeksrichtingen onmogelijk maken. Het is essentieel dat de relevante vragen waar een antwoord op moet komen en de specifieke hypotheses die wetenschappelijk getest kunnen worden geïdentificeerd worden. Om er zeker van te zijn dat de juiste experts zowel op de plaats delict als in het laboratorium de relevante vragen onderzoeken, moeten leiderschap, communicatie en teamwerk centraal staan.

4. Laboratoriumonderzoek: zoeken, veiligstellen en analyseren

We verhuizen nu van de plaats delict naar het laboratorium, en naar de verschillende stadia van het veiligstellen, documenteren en analyseren van bewijsmateriaal. Sommige principes en processen zullen al bekend zijn omdat ze de processen op plaatsen delict weerspiegelen. Wat nieuw is, is het specifieke gebruik van wetenschappelijke tests voor voorwerpen die met de zaak te maken hebben en verschillende takken van wetenschap die hierbij betrokken zijn. In dit hoofdstuk behandelen we de soorten onderzoek die in bepaalde typen zaken worden uitgevoerd, en de specifieke wetenschappelijke en juridische procedures die gevolgd moeten worden om aan de eisen van het strafrecht te voldoen.

Veiligstellen van bewijsmateriaal
Moderne forensische laboratoria bieden onderdak aan een overweldigende hoeveelheid wetenschap en technologie, die gebruikt wordt om antwoorden te leveren en om waardevolle onderzoeksrichtingen in strafonderzoeken aan te geven. De laboratoria moeten niet alleen aan formele wetenschappelijke eisen voldoen, ze moeten ook voldoen aan wetgeving en aan juridische procedures om ervoor te zorgen dat het strafrechtsysteem het best gediend wordt. Dit hoofdstuk schetst hoe voorwerpen onderzocht worden, welke technieken er gebruikt worden om bewijsmateriaal veilig te stellen, en het brede scala aan mogelijke methodes die beschikbaar zijn voor analyses. We leggen ook uit wat het belang is van het minimaliseren van besmetting, het behoud van de continuïteit (chain of custody) en kwaliteitsbewaking. Laboratoria zijn niet allemaal volgens dezelfde standaardstructuur opgebouwd; de structuur hangt af van de hoeveelheid en het soort onderzoek

dat ze uitvoeren. Sommige laboratoria hebben maar een klein aantal mensen in dienst (een stuk of vijftien), andere kunnen heel groot zijn en honderden mensen in dienst hebben. Sommige laboratoria maken deel uit van politieorganisaties, andere zijn onafhankelijke organisaties in de publieke sector of staatsorganisaties, en sommige zijn commerciële ondernemingen. In Nederland zijn er zowel laboratoria die deel uitmaken van politieorganisaties of verbonden zijn aan politie en justitie, als commerciële laboratoria. De grootste organisatie voor forensisch onderzoek is het Nederlands Forensisch Instituut (NFI). Het NFI is een overheidsinstituut dat forensisch onderzoek doet in opdracht van de politie, het Openbaar Ministerie en de Rechterlijke Macht. Daarnaast zijn er laboratoria die deel uitmaken van een universiteit, zoals het Forensic Genomics Consortium Netherlands (FGCN) dat samenwerkt met de universiteit Leiden en The Maastricht Forensic Institute (TMFI) dat nauw samenwerkt met DSM Resolve en met verschillende vakgroepen van Maastricht University. Deze laboratoria zijn wetenschappelijk gedreven en werken onafhankelijk in opdracht van politie, justitie, advocatuur, bedrijven en particulieren. Verder zijn er nog particuliere bedrijven die zich gespecialiseerd hebben in het verwerken van bepaald soort bewijsmateriaal (bijvoorbeeld DNA profielen), zoals Independent Forensic Services (IFS) in Hulshorst of Verilabs in Leiden.

In de hele wereld kunnen laboratoria zelden, misschien wel nooit, ieder soort forensisch onderzoek uitvoeren, en de meeste proberen een balans te vinden tussen de vaardigheden die ze in huis hebben en de behoeften van de gebruikers. Tabel 6 geeft een overzicht van de wetenschappelijke vakgebieden, afdelingen, en soorten zaken die in een laboratorium van gemiddeld formaat te vinden zijn. Als je naar het aantal zaken kijkt, zal het merendeel van het werk afkomstig zijn van veelvoorkomende misdrijven (inbraak, autodiefstal) en analyse van drugs, waarbij voor iedere individuele zaak een klein aantal voorwerpen onderzocht zal worden. Hoewel ernstiger overtredingen minder vaak voorkomen, zal de belasting in deze zaken vaak hoger zijn omdat er veel meer, soms honderden, voorwerpen onderzocht moeten worden.

Tabel 6: Vakgebieden, afdelingen en soorten zaken in een typisch forensisch laboratorium

Afdeling/ Soort bewijs	Onderzoek	Opmerkingen
Eenheid voor veiligstellen van bewijs	Eerste routineonderzoek van een groot aantal voorwerpen, zoals kleding, wapens etc. om bewijsmateriaal veilig te stellen met behulp van standaardtechnieken: visueel onderzoek, tape en afvegen.	In de meeste onderzoeken is dit de eerste fase, en het wordt meestal uitgevoerd door een assistent onder supervisie van een wetenschapper die rapporteert aan het onderzoeksteam.
Algemene scheikunde	Analyse, vergelijking en identificatie van een grote hoeveelheid verschillende materialen en chemische stoffen, zoals vetten, was en plastics.	Gebruikt bij een groot aantal verschillende zaken, zoals inbraak, diefstal van goederen, zware misdaad en verkeersongelukken.
Scheikundig microsporen- bewijs	Analyse, vergelijking en identificatie van minuscule hoeveelheden verf, glas, vuil, aarde en andere chemische sporen.	Gebruikt bij vergelijkbare zaken als hierboven. In een klein laboratorium kan de afdeling deel uitmaken van Algemene scheikunde.
Sporen	Vergelijking van sporen van schoenen, gereed- schappen, banden en diverse soorten sporen van het productieproces. Zorgt ook voor informatie over verbanden tussen plaatsen delict.	Algemeen gebruikt bij veelvoorkomende misdaad, vooral inbraak, en zware misdaad zoals moord.

Afdeling/ Soort bewijs	Onderzoek	Opmerkingen
Drugs	Analyse en identificatie van verslavende drugs, inclusief synthetische en natuurlijke producten en op recept verkrijgbare medicijnen.	Hieronder vallen zowel inbeslagnames bij individuen als grote invoer bij smokkelzaken en materialen uit illegale laboratoria.
Toxicologie	Identificatie en kwantificering van alcohol, drugs en vergif in monsters die van een lichaam genomen zijn bij verdacht of plotseling overlijden en bij rijden onder invloed.	Vergiftiging is zeldzaam, maar toxicologisch onderzoek is een standaardonderdeel van moordonderzoek (en andere serieuze delicten) omdat drugsgebruik het gedrag van slachtoffers en daders beïnvloed kan hebben.
Biologie	Routineonderzoek en -vergelijking van veel verschillend biologisch bewijsmateriaal (bijvoorbeeld bloed, sperma, speeksel) voor zover dit niet afgehandeld wordt door gespecialiseerde afdelingen.	Zaken zijn gewoonlijk gewelddadig, of zeden- en moordzaken.
DNA	Genetische analyse van biologische vloeistoffen, weefsel en vlekken met verschillende aan technieken.	Hieronder vallen onderzoek van mengsels van lichaamsvloeistoffen en ouderschapstests
Vezels en haren	Vergelijking en identi-ficatie van natuurlijke en synthetische stoffen, haren van mensen en dieren.	Blijft over het algemeen beperkt tot ernstige delicten zoals zedendelicten en moord, maar wordt ook in toenemende mate toegepast bij stroperij en illegale dierenhandel.

Afdeling/ Soort bewijs	Onderzoek	Opmerkingen
Botanisch bewijs	Onderzoek en identificatie van veel verschillende materialen die zo nu en dan aangetroffen worden, zoals plantdeeltjes, zaden, hout, stuifmeel.	In veel zaken zullen externe experts geraadpleegd worden vanwege de specialistische vaardigheden die hiervoor nodig zijn.
Documenten	Onderzoek van twijfelachtige documenten in fraude- en vervalsingzaken – contracten, testamenten, brieven, paspoorten, geld – om de authenticiteit en de eigenaar te bepalen.	Hieronder valt onderzoek van documenten uit printers en faxen, de manier waarop die geproduceerd zijn en de analyse van inkt.
Handschriften	Onderzoek van handschrift om een vermeende auteur aan te wijzen of uit te sluiten of om verband te kunnen leggen tussen documenten die door dezelfde auteur geschreven zouden kunnen zijn.	Hieronder valt een groot aantal verschillende zaken, waaronder fraude, beroving en moord.
Brandonderzoek	Onderzoek van brandplaatsen en analyse van puin uit branden of van brandbare vloeistoffen (brandversnellers).	Veel werk wordt gedaan op de plaats delict zelf, terwijl het laboratorium zich vooral bezighoudt met het identificeren van brandbare vloeistoffen.
Vuurwapens	Onderzoek en testschoten van pistolen, geweren, militaire wapens en verwante voorwerpen. Aantonen van kruitsporen.	Onderzoek van vuurwapens en het aantonen van kruitsporen wordt gewoonlijk op verschillende afdelingen gedaan in verband met de kans op besmetting.

Afdeling/ Soort bewijs	Onderzoek	Opmerkingen
Vingerafdrukken	Vergelijking, identificatie en verbetering van vingerafdrukken. In de meeste gevallen blijft het laboratoriumwerk beperkt tot vergroting van afdrukken en wordt de vergelijking uitgevoerd op een aparte vingerafdrukafdeling.	Veel laboratoria hebben geen vingerafdrukafdeling, maar de meeste kunnen afdrukken vergroten of zichtbaar maken voor onderzoek door vingerafdrukexperts.
Botsingsonderzoek	Onderzoek en reconstructie van verkeersongelukken. Veel van dit werk wordt op de locatie gedaan, maar er kan vervolganalyse nodig zijn.	Onderzoek van snelheidsmeters en beschadigde onderdelen van voertuigen, berekening van snelheden en trajecten van voertuigen om botsingen te reconstrueren.
Digitaal bewijsmateriaal	Onderzoek van computers, netwerken en mobiele toestellen (telefoons, digitale agenda's, SATNAV, etc.).	Waarschijnlijk het snelst groeiende gebied van forensische wetenschap. Digitale apparaten zijn nu zo wijd verspreid dat ze betrokken zijn bij veel verschillende onderzoeken.
Fotografie en beeldmateriaal	Standaardverslag via fotografie en analyse van opnameapparaten zoals de opnamen van bewakingscamera's en fototoestellen.	Algemeen gebruikt in veel verschillende onderzoeken, bijvoorbeeld om personen op of in de nabijheid van plaatsen delict te identificeren en om bewijs in de rechtbank te presenteren.

Ongeacht hoe het laboratorium opgebouwd is, de eerste fase van ieder onderzoek bestaat uit het veiligstellen van materialen. In kleine laboratoria doen individuele wetenschappers dit, soms bijgestaan door een assistent. Grotere laboratoria zullen een afdeling voor het veiligstellen van bewijsmateriaal hebben, bemand door mensen die opgeleid zijn om met hulp van veel verschillende technieken al het potentiele bewijsmateriaal op voorwerpen veilig te stellen. Voor het onderzoek begint moeten er enkele basismaatregelen genomen worden. Ten eerste moet je ervoor zorgen dat je alle beschikbare informatie hebt om een onderzoek uit te voeren, inclusief relevante getuigenverklaringen en politierapporten. Dit betekent gewoonlijk een telefoontje naar de onderzoeksleider om te controleren of er feiten veranderd zijn (in grote zaken kan dit van de ene op de andere dag gebeuren). Ten tweede moet je een planning maken, zodat je weker weet dat je de juiste onderzoekvolgorde vastgesteld hebt (je kunt niet naar de rode vezels van de trui van het slachtoffer zoeken als je niet weet hoe die eruitzien).

Hierdoor ontstaat natuurlijk besmettingsgevaar, dus moet je ervoor zorgen dat alle relevante onderzoeken van elkaar gescheiden zijn in plaats (verschillende werkbanken in verschillende laboratoria) en tijd (verschillende dagen), en dat je verschillende beschermende kleding draagt. Als een zaak drie verdachten heeft, twee slachtoffers en een plaats delict dan is er zorgvuldig denkwerk en planning voor nodig. Omdat alle materialen die met het incident te maken hebben zich nu op één plaats (het laboratorium) bevinden en waarschijnlijk onderzocht zullen worden door een enkele wetenschapper, is het besmettingsrisico groter. Aan de andere kant worden de voorwerpen nu wel onder beheerste omstandigheden bewaard en kunnen ze eenvoudiger en effectiever beheerd worden dan op de plaats delict. Vanaf het begin worden er systematische, strikte procedures gevolgd om besmetting te voorkomen; om aan te tonen dat de procedures gevolgd zijn, worden er verslagen gemaakt en opgeslagen. Wat we onder besmetting verstaan en welke maatregelen er genomen worden om het te voorkomen, varieert tussen de verschillende gebieden van forensische wetenschap, en tot op zekere hoogte tussen verschillende laboratoria. Microsporenbewijs – glas, verf, vuil, aarde, haar, vezels en andere fijne materialen) – is bijzonder gevoelig voor besmetting, en over het algemeen worden de volgende maatregelen genomen om het risico op besmetting te minimaliseren:

– Voorwerpen van verschillende herkomst, bijvoorbeeld plaats delict, verdachte en slachtoffer, worden vanaf het begin van het onderzoek op verschillende plaatsen opgeslagen.
– De volgorde waarin het onderzoek uitgevoerd wordt moet het risico minimaliseren. Voor zover mogelijk moet het microsporenbewijs veiliggesteld worden voordat het controlemonster (de mogelijke bron) onderzocht wordt. Wanneer de sporen eenmaal veiliggesteld zijn, is de kans op besmetting aanzienlijk kleiner.
– Voorwerpen die microsporenbewijs kunnen bevatten, worden op verschillende locaties en tijdstippen onderzocht; over het algemeen zit er minimaal een werkdag tussen.
– Voor iedere gerelateerde verzameling voorwerpen (bijvoorbeeld de kleren van één persoon) worden andere laboratoriumjassen, werkbanken en instrumenten gebruikt. Er wordt veel gebruik gemaakt van wegwerpinstrumenten en beschermende kleding.
– De instrumenten worden aan een werkbank toegewezen en mogen die niet verlaten. De gebruikte laboratoriumjas wordt er opgeborgen tot de zaak afgerond is.
– Alle bovenstaande details worden vastgelegd in het dossier van de zaak.

Onderzoek van voorwerpen

Omdat de scheikundige aspecten (microsporenbewijs en drugsanalyse) in latere hoofdstukken behandeld worden, houden we ons in deze paragraaf voornamelijk bezig met biologisch bewijsmateriaal. Kleding onderzoeken op lichaamsvloeistoffen, zoals bloed, en microsporenbewijs begint met de selectie van een geschikte werkplek, die schoongemaakt en gedesinfecteerd wordt en afgedekt met een laag schoon papier. De onderzoeker draagt een pasgewassen laboratoriumjas, nieuwe handschoenen, een gezichtsmasker en een wegwerpmuts. De bij het onderzoek gebruikte instrumenten (pennen, tangen, etc.) worden op de werkbank geplaatst en daar niet meer weggehaald. Het onderzoek van ieder afzonderlijk voorwerp verloopt verder als volgt:

1) Het label van het voorwerp wordt gecontroleerd en vergeleken met het relevante papierwerk. Er zouden geen belangrijke verschillen mogen zijn. Als die er wel zijn, moet dit uitgezocht worden om er zeker van te zijn dat er geen problemen zijn met de integriteit of de continuïteit van het voorwerp. Het nummer van het voorwerp (of in sommige jurisdicties de omschrijving) dient als een uniek identificatiemiddel en er zal naar verwezen worden in verslagen en in de rechtbank, en moet dus exact vastgelegd worden in de notities.

2) De integriteit van de verpakking wordt bekeken. Het voorwerp zou verzegeld moeten zijn en de verpakking intact. Alle gebreken, zoals beschadigingen of slechte verzegeling, moeten genoteerd worden. Als er een belangrijk probleem is, zoals een niet verzegeld voorwerp of een scheur in de verpakking, mag het voorwerp niet onderzocht worden. De verpakking en de verzegeling worden gedetailleerd omschreven in het verslag.

3) Vervolgens wordt de verpakking geopend op een andere plek dan bij de oorspronkelijke zegels (die intact moeten blijven) en wordt het voorwerp voorzichtig op de werkbank gelegd. Het wordt dan kort onderzocht op zichtbaar materiaal dat van belang kan zijn en dat makkelijk los kan raken en verloren kan gaan. Dit moet verwijderd worden en in een aparte, gelabelde verpakking (meestal een klein plastic zakje) bewaard worden. In deze fase moet het voorwerp zo weinig mogelijk aangeraakt worden.

4) Zo nodig wordt het oppervlak van het voorwerp dan afgenomen met transparant plakband, om het uitwendige

sporenbewijs systematisch en volledig veilig te stellen. De stukken plakband van ieder voorwerp worden apart verpakt; op het label worden de details van het voorwerp (omschrijving of nummer) en de plaats waar de tape geplaatst was (bijvoorbeeld voorkant rechtermouw, achterkant linkermouw, etc.) genoteerd.

5) Als het bewijsmateriaal dat veiliggesteld moet worden uit fijne deeltjes bestaat, zoals glas en verf (en wanneer er geen vezels verzameld hoeven worden), kan het voorwerp – nadat het grondig met het blote oog en onder een zwakke microscoop onderzocht is – ook afgeborsteld worden om microscopische deeltjes te verzamelen.

6) Als het microsporenbewijs veiliggesteld is, wordt het voorwerp langzaam en systematisch visueel onderzocht op ander relevant bewijs. Bij dit proces wordt vaak speciaal licht, bijvoorbeeld van glasvezellampen, gebruikt.

7) Vervolgens wordt het voorwerp beschreven – het is een schoen, trui, of mes – waarbij voldoende detail wordt gegeven om het in de toekomst, bijvoorbeeld in de rechtbank, makkelijk te kunnen identificeren. De conditie (oud, nieuw, versleten) en andere relevante of opvallende kenmerken zoals vlekken, sporen of schade moeten ook genoteerd worden. Wanneer vezels een rol spelen in de zaak, wordt het materiaal waar het kledingstuk van gemaakt is ook op het label genoteerd.

8) Als er vezels van het onderzochte voorwerp teruggevonden zouden kunnen worden op andere voorwerpen uit dezelfde zaak, moet er een controlemonster genomen worden. Dit moet representatief zijn voor het voorwerp en alle kleuren en typen vezels bevatten.

9) Het verslag moet beschrijven waar het voorwerp op onderzocht is, hoe het eruitziet, en welke ontdekkingen en interpretaties er gedaan zijn. Het moet accuraat en volledig zijn, waar nodig ondersteund door afmetingen, diagrammen en foto's.

De voorwerpen worden op deze manier onderzocht om er zeker van te zijn dat al het bewijs veiliggesteld is; dat alle aanwezige materialen die relevant zijn, zoals lichaamsvloeistoffen, geïdentificeerd worden; om nauwkeurige, gedetailleerde aantekeningen over de aard van het voorwerp te maken; en om vast te stellen welke analyses er vervolgens uitgevoerd moeten worden (bijvoorbeeld, er moet meer aandacht besteed worden aan afzonderlijke vlekken). Deze aantekeningen worden tijdens het hele onderzoek doorlopend bijgewerkt en geven niet alleen een gedetailleerd verslag van de resultaten van de analyses, maar ook van de gebeurtenissen en van alle ontvangen informatie. Bijvoorbeeld, als er overlegd wordt over een zaak, wordt er een verslag van de bijeenkomst opgeslagen in het dossier. Dit dossier wordt vervolgens als basis gebruikt bij het opstellen van rapporten en dient als geheugensteuntje wanneer iemand in een rechtszaak moet getuigen. Het verslag moet ook duidelijk omschrijven hoe het voorwerp onderzocht is, door wie, met welk doel, op welk tijdstip en in welke volgorde. Al deze zaken kunnen van belang zijn tijdens de rechtszaak.

Bloed en lichaamsvloeistoffen

Bij gewelds- en zedendelicten kunnen er lichaamsvloeistoffen op kleding, voorwerpen en wapens terechtkomen. Hiermee kan de bron (de persoon van wie de vloeistof afkomstig is) geïdentificeerd worden, maar de locatie, de hoeveelheid en het patroon van de vlekken kunnen ook van belang zijn bij de interpretatie van de ontdekkingen. Mensen die beschuldigd worden van mishandeling zeggen vaak dat ze in de buurt waren van de aanval maar dat ze er niet aan meegedaan hebben om bloedvlekken op hun kleren te verklaren. Daarom moeten de vlekken onderzocht worden om te bepalen of er enig bewijs is om deze verklaring te ondersteunen of te weerleggen. Speekselvlekken aan de binnenkant van een masker kunnen er op wijzen dat het gedragen is, en door wie. We treffen sperma en speeksel gewoonlijk ook aan bij zedendelicten, op monsters die met een wattenstaafje genomen zijn (bijvoorbeeld uit de vagina of de mond) en op kleding, vooral ondergoed. Het opsporen en identificeren van bloed, sperma, speeksel en andere biologische materialen is standaardwerk in forensische biologie.

In de eerste fase van het onderzoek wordt er gebruik gemaakt van een aantal simpele tests (de zogenaamde oriënterende tests). Die geven een eerste indicatie van het type vlek, die vervolgens verder geanalyseerd wordt met bevestigende tests. Opgedroogde bloedvlekken hebben een karakteristieke roodbruine kleur en zijn gewoonlijk makkelijk te herkennen. Er zijn een aantal oriënterende tests om de aanwezigheid van bloed aan te tonen, die allemaal gebruik maken van de katalytische eigenschappen van hemoglobine, de proteïne in rode bloedcellen. De Kastle-Meyer (KM) test wordt algemeen gebruikt om bloedvlekken te identificeren. Deze test maakt gebruik van de oxidatie door peroxidase van de kleurloze variant van fenolftaleïne om een helderroze kleur te geven. De test is alleen betrouwbaar als de opvallende roze kleur onmiddellijk verschijnt, omdat fenolftaleïne in de open lucht sowieso geleidelijk oxideert en roze kleurt. Als een vlek eruitziet als een bloedvlek en de KM-test positief is, wordt dit over het algemeen als voldoende bewijs gezien dat een vlek bloed is. Vlekken die positief reageren op de KM-methode maar niet op bloed lijken, kunnen een mengsel van bloed en een andere lichaamsvloeistof zijn, bijvoorbeeld speeksel omdat iemand uit zijn mond gebloed heeft. Het is ook mogelijk dat de vlek helemaal geen bloed bevat, omdat veel andere biologische materialen en sommige chemische oxidatiemiddelen vals-positieve reacties kunnen geven, hoewel dit zeldzaam is. Omdat bijzonder kleine vlekken al gebruikt kunnen worden om DNA-profielen aan te onttrekken, moet ervoor gezorgd worden dat de vlek niet verloren gaat of vernietigd wordt tijdens de test.

Sperma bestaat uit een vloeistof (zaadvloeistof) die eiwitten, zouten, suikers, ionen en vele miljoenen spermatozoïden bevat. Spermavlekken op textiel zijn meestal witachtig van kleur maar dit kan variëren, zeker wanneer sperma vermengd is met andere lichaamsvloeistoffen. Het kan ook een kleurloze aanslag vormen, die op sommige voorwerpen moeilijk te zien kan zijn. De aanwezigheid van zaadvlekken wordt vastgesteld door zaadvloeistof en sperma op te sporen. Zaadvloeistof bevat een hoge concentratie van het enzym zure fosfatase, wat aangetoond kan worden via een oriënterende test, de zogenaamde zure fosfatase- of brentamine-test. Deze test werkt doordat de brentamine dankzij de katalytische reactie van zure fosfatase een paarse azokleurstof vormt. Hoe dieper de kleur en hoe sneller hij verschijnt (meestal na een paar seconden), hoe zekerder het is dat de reacties veroorzaakt worden door zaadvloeistof. Andere lichaamsvloeistoffen, en vooral vaginaal vocht, kunnen ook op deze test reageren, maar de kleur is anders (meer roze) en de reactie laat langer op zich wachten (meer dan dertig seconden). Maar omdat bij zedendelicten de meeste vlekken een mengsel zijn van sperma en vaginaal vocht zal duidelijk zijn dat de interpretatie van de test voor problemen zorgt. Na een sterke reactie op een zure fosfatasetest kan sperma aangetoond worden door de aanwezigheid van spermatozoïden. Dit wordt gedaan door microscopisch onderzoek van een kleine hoeveelheid materiaal van de vlek. Een spermatozoïde heeft een karakteristiek uiterlijk (zie figuur 5). Hij bestaat uit een kop en een staart, en kan gekleurd worden met behulp van histologische kleurstoffen. De hoeveelheid sperma die in vaginale uitstrijkjes gevonden wordt kan gebruikt worden om te schatten hoeveel tijd er verstreken is sinds het seksuele contact, hoewel deze methode vrij grof is.

Speeksel wordt aangetroffen bij zedendelicten en een groot aantal andere zaken, zoals berovingen (op maskers en knevels) en moorden. Speeksel wordt uitgescheiden door de speekselklieren en bevat water, slijm, eiwitten, zouten en enzymen. Een van de enzymen – amylase – komt in speeksel in veel hogere concentraties voor dan in andere lichaamsstoffen, en kan een aanwijzing zijn voor de aanwezigheid van speeksel.

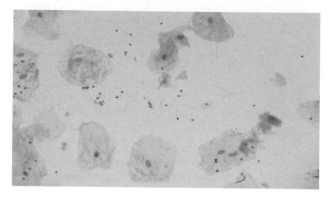

5. Spermatozoïden en vaginale cellen gekleurd met hematoxyline en eosine.

Speeksel vormt in de regel kleurloze vlekken, en daarom moet er bij de identificatie rekening houden worden met de omstandigheden en de locatie van de vlek. De aanwezigheid van epitheelcellen, die karakteristiek zijn voor de mond, kan soms gebruikt worden als bevestigende test, maar deze cellen lijken op de cellen in de vagina (en op andere plaatsen in het lichaam) en zijn daarom van beperkte waarde.

Tabel 7: Monsters en tests van een mannelijke verdachte in een verkrachtings- en moordzaak

Monster	Doel/analyse
Wattenstaafje langs de binnen-kant van de wang	DNA-referentiemonster
Bloed	Therapeutische drugs, versla-vende drugs
Bloed	Test op alcohol
Urine	Alcohol, drugs
Uitstrijkje van genitaliën en anale regio	Lichaamsvloeistoffen – bloed, speeksel, vaginaal materiaal

Monster	Doel/analyse
Vingernagels	Microsporenbewijs, bijvoorbeeld vezels, haar, DNA uit lichaamsvloeistoffen
Hoofdhaar	Haarreferentiemonster
Schaamhaar	Haarreferentiemonster
Ondergoed	Microsporenbewijs, lichaamsvloeistoffen, contact-DNA
Kleding	Bloed, lichaamsvloeistoffen, microsporenbewijs

De hierboven beschreven tests zijn meestal de eerste stappen in zaken waar biologisch bewijsmateriaal een rol speelt. Maar in een grote zaak moeten er vanwege de wetenschappelijke procedures uitgebreide onderzoeken gedaan worden door specialisten op andere wetenschappelijke gebieden, die antwoord kunnen geven op de onderzoeksvragen. Tabel 7 geeft een idee van de monsters die gewoonlijk bij een verdachte in een verkrachtings- en moordzaak worden afgenomen en bij het laboratorium worden ingediend, en het doel van het onderzoek of de analyse ervan. Er zijn verschillende soorten bloedmonsters nodig, afhankelijk van het doel van het onderzoek. Bijvoorbeeld, het DNA-referentiemonster bevat een antistollingsmiddel dat het mogelijk maakt DNA te onttrekken, en het monster dat op alcohol getest moet worden bevat een conserveringsmiddel dat voorkomt dat bacteriën die alcohol kunnen produceren of verteren en daardoor voor misleidende testresultaten kunnen zorgen het monster infecteren. Er zijn ook urinemonsters nodig voor alcohol- en toxicologische analyse, omdat alcohol en de metabolieten van drugsafbraak aangetoond kunnen worden in de urine, zelfs wanneer ze niet meer aanwezig zijn in het bloed. Afhankelijk van de details van de zaak, nemen forensisch pathologen monsters van delen van het lichaam van het slachtoffer, inclusief de genitaliën en de anus, die onderzocht worden op lichaamsvloeistoffen.

Monsters hoofdhaar en schaamhaar worden gebruikt voor vergelijkingsdoelen, voor het geval er haren op het slachtoffer gevonden worden voor microscopische vergelijking, hoewel dit steeds zeldzamer wordt omdat er DNA-profielen uit haren onttrokken kunnen worden. Uitgekamde hoofd- en schaamhaarmonsters kunnen ook onderzocht worden op overgedragen vezels. Ten slotte wordt kleding die op het moment van de aanval gedragen werd ingediend en onderzocht op relevant bewijsmateriaal.

Tabel 8 geeft een overzicht van de soorten onderzoek die laboratoria doen en de verschillende analytische technieken die daarvoor gebruikt worden. Hoewel er veel specialistische technieken gebruikt worden, kunnen we zeggen dat het proces in bijna alle gevallen begint met een visueel onderzoek van de betreffende voorwerpen, gewoonlijk om het bewijsmateriaal veilig te stellen. De meest gebruikte techniek is de microscoop, waarvan een aantal specialistische types bestaan die een specifieke toepassing hebben in het onderzoek naar en de vergelijking van microsporenbewijsmateriaal.

Oriënterende tests wordt ook algemeen gebruikt om op biologische en chemische stoffen te testen. De belangrijkste analytische methode, die de fundering is van het meeste werk in de forensische biologie, is DNA-profilering, omdat dit de donor van bijna iedere soort biologische vloeistof of weefsel kan identificeren. Er worden een groot aantal analytische technieken gebruikt om de verschillende soorten stoffen die we in de forensische scheikunde tegenkomen te identificeren. Welke methode gebruikt wordt hangt af van de aard van de betreffende stof, of die organisch of anorganisch is, vast of vloeibaar, of aanwezig als sporenelement of in grote hoeveelheden. Een aantal technieken die in tabel 8 genoemd worden, worden verder beschreven in andere hoofdstukken: hoofdstuk 5 (DNA), hoofdstuk 7 (microsporenbewijs) en hoofdstuk 8 (identificatie van drugs). Het is niet mogelijk om alle technieken in de tabel te behandelen, maar voor lezers

Tabel 8: Analysemethodes voor verschillende soorten bewijs

Methode	Vingerafdrukken	Bloed	Sperma	Speeksel	DNA	Haren	Vezels	Verf	Glas	Drugs	Vergif	Kleur en kleurstoffen	Polymeren en plastics	Kruitsporen van vuurwapens	Metalen en mineralen	Aarde en vuil	Brandbare vloeistoffen
Brekingsindex									■								
Rasterelektronenmicroscoop													■	■	■	■	
Röntgen microsonde															■	■	
Röntgendiffractie															■	■	
Fourier transformatie infrarood								◩					■				
Pyrolyse gaschromatografie (massaspectrometrie)								■									
Gaschromatografie-massaspectrometrie										■	■						
Vloeistofchromatografie-massaspectrometrie										◩	■						
Massaspectrometrie (MS)											■						
Gaschromatografie (GC)																	■
Hogedrukvloeistofchromatografie																	
Dunnelaagchromatografie										◩							
Microspectrofotometrie							■										
Ultraviolet/zichtbaar licht spectometrie											■						
DNA-sequentie		◩			■												
Capillaire elektroforese (DNA)					■												
Oriënterende test		■	■					◩		■	◩						
Vergelijkingsmicroscopie						■											
Microscopie met gebruik van gepolariseerd licht																	
Sterke microscopie		◩				■											
Zwakke microscopie		░	░														
Ultraviolet licht/laser	◩		◩								■						
Visueel onderzoek	■	■	■	■		■	■	■	■	■		■	■	■	■	■	■

Sleutel: Zwart, gewoon of routine; donkergrijs; zo nu en dan of waar relevant; lichtgrijs, zelden; blanco, niet van toepassing.

die meer over dit onderwerp willen weten, staan er suggesties voor verder lezen achterin het boek.

Fysieke aansluiting

Dit hoofdstuk gaat over het veiligstellen en de analyse van bewijsmateriaal, maar zo nu en dan kunnen deze processen alle twee opvallend simpel zijn. Er is sprake van een fysieke aansluiting wanneer twee van elkaar gescheiden voorwerpen op zo'n manier in elkaar passen dat onmiddellijk te zien is dat ze oorspronkelijk één voorwerp waren. Hiervoor is zelden analytische apparatuur nodig, hoogstens af en toe een zwakke microscoop, en ook geen wetenschappelijke interpretatie. Bijvoorbeeld, bij Frans Z. ('de slachter van IJmuiden'), werd in zijn huis een vuilniszak aangetroffen van hetzelfde merk als de twee vuilniszakken die zijn gebruikt bij het verpakken van het in stukken gesneden lichaam en de kleding van de 34-jarige Yanti, die in het kanaal bij het Noordersluis-eiland wordt aangetroffen. De vuilniszak met kleding is bovendien verzwaard met kiezelstenen die voorkomen langs het Amsterdam-Rijnkanaal, maar die ook worden aangetroffen bij het huis van Frans Z. Zij zijn vermoedelijk bestemd voor zijn aquarium. Een TNO expert verklaart er zeker van te zijn dat de zakken op dezelfde dag zijn geproduceerd, maar er kan volgens hem niet met zekerheid worden vastgesteld dat ze ook van dezelfde rol komen. De fabriek die de vuilniszakken produceert houdt het er echter op dat de zakken weldegelijk van de zelfde rol afkomstig zijn.

Tot nu toe hebben we het onderzoeksproces bekeken, de fysieke handelingen en logische stappen waardoor de resultaten bereikt worden. Voor effectief onderzoek is veel meer nodig dan een proces volgen. Bij het zoeken moet je alert zijn op potentieel onvoorzien bewijsmateriaal. De onderzoeker moet het onderzoek op een intelligente, nieuwsgierige manier benaderen, maar moet tegelijkertijd voldoende afstandelijk en ongeëmotioneerd zijn. Het is logisch dat we algemene verwachtingen hebben – we weten dat personen die betrokken waren bij geweldpleging waar bloed vergoten is bloed op hun kleding kunnen hebben – maar dergelijke verwachtingen mogen de uitkomst van individuele zaken niet bepalen. We werken van observatie naar analyse en dan via gevolgtrekkingen naar interpretatie. Verklaringen en rapporten zouden ditzelfde patroon moeten volgen, en van observatie (feit), analyse (feit), interpretatie (een mengeling van feiten en mening) naar conclusie (gewoonlijk een mening) gaan. Een verslag moet feit en mening op zo'n manier scheiden dat het verschil duidelijk is voor de lezer. De discipline die deze procedure oplegt is waardevol; als we hem niet gebruiken, zijn we vatbaar voor vergissingen die ontstaan uit verklaringen die meningen zijn maar klinken als feiten. Met andere woorden, de volgorde is niet alleen procedureel, maar ook cognitief. Omdat we zo gewend zijn aan specifieke soorten analyses en interpretaties, moeten we veel moeite doen om te voorkomen dat feit en interpretatie in onze geest samensmelten. Bijvoorbeeld, als we een bloedpatroon categoriseren als 'inslag', doen we dat op basis van een gevolgtrekking uit onze observatie van bepaalde eigenschappen. Toch is dit een betwistbare bewering en geen feit, een bewering die we moeten verklaren en zo nodig rechtvaardigen. Veel van de waarde van forensische wetenschap is het gevolg van de combinatie van wetenschappelijke tests en het rationele, transparante proces dat door anderen als objectief (of niet) beoordeeld kan worden. En het is de wetenschappelijke benadering die objectief is, niet de wetenschappers: wetenschappers zijn niet objectiever dan wie dan ook.

In dit hoofdstuk hebben we de basisprocessen van forensische wetenschap behandeld: zoeken, veiligstellen en analyseren. We hebben ook de reeks methoden beschreven die voor deze analyses gebruikt worden, hoe besmetting wordt voorkomen en de integriteit van het bewijsmateriaal behouden wordt, en een paar van de problemen die ontstaan

6. Twee delen van een benzinebon passen in elkaar.

bij de interpretatie van bewijsmateriaal. In de volgende hoofdstukken zullen we deze zaken en andere specifieke gebieden
van de forensische wetenschap in meer detail bekijken.

5. DNA: identiteit, verwantschap en databases

Toen DNA-profilering twintig jaar geleden in zwang kwam, werd het als 'Het Ei van Columbus' beschouwd. Inmiddels is duidelijk dat een DNA-profiel op zichzelf niet voldoende bewijs levert; het moet altijd in de context worden geplaatst. Op die wijze kan het een positieve bijdrage leveren aan het onderzoek naar en de vervolging van misdaad. DNA-profilering heeft ook een nieuwe standaard gecreëerd voor forensisch bewijs, die soms de 'gouden standaard' wordt genoemd. Het heeft een traditioneel pad van ontdekking naar toepassing gevolgd dat typisch is voor nieuwe wetenschappelijke ontwikkelingen; het bewijs van het onderzoek is gepubliceerd, geëvalueerd door experts en aangevochten en getest door de wetenschappelijke gemeenschap. Maar ironisch genoeg voldoen veel andere gebieden van forensische wetenschap niet aan de nieuwe eisen die door DNA ontstaan zijn. In dit hoofdstuk bekijken we de biologische basis van DNA-profilering, en hoe DNA in verschillende soorten zaken geanalyseerd en geïnterpreteerd wordt. We kijken ook naar de aard van identiteit, een centrale kwestie in forensische wetenschap, die relevant is voor dit hoofdstuk en voor volgende hoofdstukken, en naar het gebruik van databases in het misdaadonderzoek. Sir Alec Jeffreys' ontdekking van DNA-profilering in het midden van de jaren 1980 was de belangrijkste doorbraak in het onderzoek naar misdaad sinds de ontdekking van vingerafdrukken, en leidde in Engeland onder andere tot de oprichting van de eerste DNA-database ter wereld (in 1995). Sinds de invoering van specifieke DNA-wetgeving in 1994 is de opslag van DNA-profielen in een persoonsregistratiesysteem ook in Nederland mogelijk. In 1997 werden de eerste DNA-profielen in de Nederlandse databank opgenomen. Sindsdien zijn er jaarlijks enkele honderden profielen aan de Nederlandse databank toegevoegd. De invloed van DNA-profilering is immens geweest. Dit is te danken aan het feit dat het een persoon met grote betrouwbaarheid kan identificeren of elimineren aan de hand van minuscule sporen die onzichtbaar zijn voor het blote oog. Dit hoofdstuk bespreekt de structuur van DNA, het mechanisme achter DNA-profilering, hoe de profielen geïnterpreteerd worden, en hoe DNA-databases werken.

Wat bedoelen we met identiteit?

Een groot deel van de forensische wetenschap richt zich op het identificeren van dingen – mensen, voorwerpen, stoffen – maar wat bedoelen we met 'identificeren'? Identiteit heeft verschillende betekenissen, en heeft zowel een 'gezond verstand'-gebruik (wat afhankelijk is van de context) als filosofische interpretaties. Identiteit staat centraal in het strafrechtproces omdat we er zeker van moeten zijn dat de persoon die gearresteerd of schuldig bevonden wordt zonder enige twijfel degene is die we denken dat hij is (ongeacht wie hij beweert te zijn). Dus wat betekenen de termen 'identiteit' en 'identificeren' voor een forensisch wetenschapper? Het zal je misschien verrassen dat het antwoord afhangt van wie je de vraag stelt en dat verschillende gebieden van forensische wetenschap verschillende normen en criteria gebruiken om dingen te identificeren. Hoewel de termen niet universeel zijn, zullen de meeste forensische wetenschappers een onderscheid maken tussen de classificatie van dingen (een voorwerp in een gedefinieerde categorie plaatsen) en de identificatie ervan (de erkenning van uniciteit – dat er maar *één* exemplaar van is). Classificatie kan een doorlopend proces zijn – een auto, een rode auto, een rode sportwagen, een rode sportwagen met een beschadigde carrosserie – dat steeds verder naar kleinere of nauwere categorieën toewerkt, terwijl identificatie een eindige en categorische vaststelling van uniciteit is – *de* rode sportwagen met de beschadigde carrosserie die achtergelaten is na een botsing. Er bestaat maar één exemplaar van dit voertuig.

Sommige forensische wetenschappers, vooral uit de Verenigde Staten, gebruiken het woord 'individualisatie', wat iets van de bovenstaande verwarring voorkomt. Het is bedacht door een van de voorlopers van forensische wetenschap, Paul Kirk, en het voordeel ervan is dat het ondubbelzinnig is. Als je iets individualiseert is het enig in zijn soort, uniek; het is niet alleen maar geclassificeerd, hoe weinig dingen er ook binnen de klasse vallen. Kirk suggereert dat individualisatie het belangrijkste doel van forensische wetenschap is, maar uit eerdere hoofdstukken zal duidelijk zijn dat dit niet het complete verhaal kan zijn. In heel veel gevallen kan individualisatie om praktische redenen of vanwege technologische beperkingen niet plaatsvinden, en vaak is individualisatie ook niet nodig om een onderzoeksvraag te beantwoorden. Veel zeer ervaren forensische wetenschappers (Dave Barclay, Pierre Margot, en de inmiddels overleden Stuart Kind) stellen dat het doel van forensische wetenschap het beantwoorden van onderzoeksvragen is, ongeacht hoe dit doel bereikt wordt, en ik deel dit standpunt. Bewijsmateriaal dat of informatie die bij lange na niet aan de eisen van 'individualisatie' voldoet kan relevant en waardevol zijn voor een strafrechtelijk onderzoek – een erg slechte, incomplete vingerafdruk kan iemand uitsluiten van het onderzoek. Wat belangrijker is, is hoe bezwarend het bewijsmateriaal is binnen de context van de zaak, zoals we later zullen zien. Identificatie en de aard van identiteit zijn op dit moment actieve onderwerpen van gesprek in de forensische wetenschap en we zullen er in verschillende hoofdstukken van dit boek op terugkomen.

DNA en het menselijk genoom

DNA (deoxyribonucleïnezuur) is het genetisch materiaal van de meeste levende wezens en speelt een centrale rol in het bepalen van erfelijke eigenschappen. DNA is een belangrijk onderdeel van de chromosomen die zich in de kern van iedere cel van het lichaam bevinden en is ook te vinden in celorganellen die mitochondriën heten (mitochondriaal DNA). DNA bestaat uit twee elkaar aanvullende moleculaire ketens die in de vorm van een dubbele helix om elkaar heen gewikkeld zijn. Iedere keten bestaat uit moleculen van de suiker deoxyribose, die aan elkaar verbonden zijn door fosfaatmoleculen. Aan iedere suiker hangt een van vier nucleotiden of basen: adenine (A), thymine (T), guanine (G) en cytosine (C). De relatie tussen paren van deze basen vormt de basis van de complementaire keten: adenine bindt alleen met thymine en guanine alleen met cytosine. Dit betekent dat wanneer de ketens van elkaar

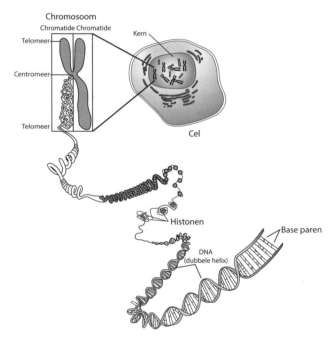

7. De structuur van DNA, *de relatie met chromosomen en de locatie binnen de cel.*

gescheiden worden voor replicatie, ze beide een kopie van de ander kunnen creëren, waardoor twee identieke moleculen ontstaan. Het diagram in figuur 7 toont de structuur van DNA en de relatie tussen DNA en andere delen van de cel.

Menselijke cellen hebben 22 paar overeenkomende (homologe) chromosomen en een paar geslachtschromosomen (XX, vrouwelijk of XY, mannelijk). Het genoom, de verzameling van al het genetisch materiaal, is opgebouwd uit deze 23 chromosomenparen. Iedere chromosoom bestaat uit een enkele, doorlopende streng DNA, en uit eiwitten die histonen heten en die de organisatie en verpakking van het DNA ondersteunen. Genen, pakketjes erfelijke eigenschappen, bestaan uit twee onderdelen (of allelen), waarvan je er een van iedere ouder erft. Ongeveer 25% van het nucleaire DNA is betrokken bij de genexpressie en -regulering. De rest van het genoom lijkt geen rol te spelen in genexpressie en bevat niet-coderend DNA. De niet-coderende delen van het genoom bevatten onder andere grote hoeveelheden repeterende stukken DNA. Hieronder valt ook tandem repeat DNA, waarvan de short tandem repeats (STR's) het belangrijkst zijn voor de forensische wetenschap. We weten niet waar deze STR's vandaan komen. Hoewel dit DNA niet-coderend is, maakt het nog steeds deel uit van het allel en daarom erft het in een voorspelbaar patroon over. Het zich herhalende kernelement van STR's bestaat meestal uit een tot zes basenparen. In verschillende allelen herhaalt het kernelement zich een verschillend aantal keren, en het menselijk genoom bevat duizenden STR's. De nuttigste STR's bestaan uit verschillende aantallen tetranucleotiden (series van vier nucleotiden) die ieder allel vormen en die in specifieke frequenties voorkomen bij bevolkingsgroepen. En dankzij deze aantoonbare variatie is DNA-profilering zo waardevol. Omdat we weten dat deze allelen onafhankelijk van elkaar overerven, kunnen hun frequenties met elkaar vermenigvuldigd worden om vast te stellen hoe vaak iedere combinatie van allelen (het DNA-profiel) in de bevolking voorkomt.

DNA-analyse

Als eerste stap in het proces wordt het DNA geëxtraheerd en gezuiverd. Welke methode hiervoor gebruikt wordt hangt af van het weefsel of het soort vlek waar het om gaat, en sommige weefsels, zoals huidcellen, zijn eenvoudiger te behandelen dan andere, zoals been. Bij dit proces worden de celmembranen vernietigd, eiwitten denatureren en het DNA wordt gescheiden van het gedenatureerde eiwit. Voor spermavlekken en vlekken die bestaan uit een mengsel van sperma en lichaamsvloeistoffen met andere huidcellen, zoals vaginaal vocht of speeksel, is een apart extractieproces nodig. Dit proces heet differentiële extractie en is gebaseerd op het principe dat spermatozoïden bestand zijn tegen het enzym dat celmembranen afbreekt en dat er een reductiemiddel toegevoegd moet worden om de wand van de spermatozoïde af te breken. Na de extractie is het belangrijk dat de hoeveelheid DNA die veiliggesteld is gekwantificeerd wordt, omdat dit sterk kan variëren en omdat de hoeveelheid die in de volgende stap van het proces gebruikt wordt belangrijk is. De meeste commerciële testkitten hebben voor optimaal resultaat tussen de 0,5 en 2, 5 nanogram (10^{-9} gram) DNA nodig. Voor de kwantificatie kan een aantal verschillende methoden gebruikt worden, zoals elektroforese, UV-spectroscopie of fluorescentiespectroscopie.

DNA kan vermenigvuldigd worden voor analyse door middel van de polymerasekettingreactie en in 'real time' gekwantificeerd worden. Dit proces (figuur 8) leidt tot een exponentiële toename van de hoeveelheid doel-DNA (dat wil zeggen, het DNA in de allelen die worden geanalyseerd) en verklaart hoe we profielen kunnen verkrijgen uit zulke kleine monsters. Twee korte stukjes synthetisch DNA (primers) moeten het doel-DNA flankeren om het te identificeren. Deze primers zijn zo ontworpen dat alleen menselijk DNA vermenigvuldigd wordt, niet het DNA van andere soorten.

Er zijn ongeveer twintig STR's die veel geanalyseerd worden voor forensische doelen. Deze zijn gekozen op basis van

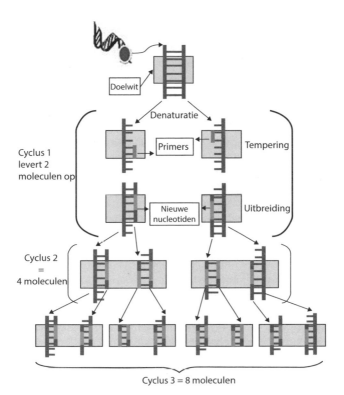

Cyclus 3 = 8 moleculen

8. De polymerasekettingreactie. Aan het eind van iedere cyclus van verhitten en afkoelen verdubbelt de hoeveelheid DNA.

belangrijke eigenschappen die nodig zijn voor forensische profilering:

– De allelen zijn niet gekoppeld aan andere genen, zoals genen die fysieke eigenschappen beïnvloeden of die die geassocieerd worden met erfelijke ziekten.
– De allelen erven onafhankelijk van elkaar over.
– De allelen zijn klein en stabiel, zodat ze relatief ongevoelig zijn voor degradatie door hitte, vocht, bacteriën etc.

- Ze zijn eenvoudig van elkaar te onderscheiden doordat ze een hoog niveau aan 'variatie' vertonen.

De analyse vindt gelaagd plaats, wat betekent dat er in dezelfde reageerbuis veel tests tegelijk worden uitgevoerd. De twee voornaamste systemen, die over de hele wereld gebruikt worden, zijn ontwikkeld door commerciële organisaties. In het Verenigd Koninkrijk en in veel andere landen wordt het AmpF/ STR SGM*plus*© systeem (Applied Biosystems) gebruikt. Het Nederlands Forensisch Instituut (NFI) maakt net als de Verenigde Staten gebruik van een ander systeem: het programma CODIS (Combined DNA Index System). CODIS gebruikt een groep van 13 standaardverzamelingen STR's die ingevoegd zijn in twee commerciële testkits (AmpF/STR Identifiler van Applied Biosystems en PowerPlex 16, gemaakt door de Promega Corporation). Het aantal vermenigvuldigingcycli dat gebruikt wordt (28 of 32) hangt af van de gebruikte kit en zal tussen de honderd miljoen en een miljard kopieën van het doel-DNA maken. Dit aantal mag niet overschreden worden omdat dat de kwaliteit van het geproduceerde DNA kan verminderen, waardoor de interpretatie van de resultaten niet langer betrouwbaar is. Het vermenigvuldigingproces vindt plaats in een thermocycler die de verhittings- en koelingscycli zorgvuldig reguleert om er zeker van te zijn dat de resultaten voorspelbaar en van hoge kwaliteit zijn. Het grote voordeel van de polymerasekettingreactie is dat ze uit maar een paar cellen een hoeveelheid DNA kan creëren die groot genoeg is om te analyseren. Een gevolg hiervan is wel dat er het hele proces heel zorgvuldigheid uitgevoerd moet worden om zeker te weten dat het verkregen resultaat juist is en afkomstig is van het monster en niet van de een of andere externe DNA-bron (zoals de analist of de omgeving) die het monster besmet heeft. Om deze reden worden er standaardmaatregelen genomen om de kwaliteit te bewaken, waaronder:
- regelmatig schoonmaken en ontsmetten van laboratoria en apparatuur;

- gebruik van wegwerpgereedschap (zoals pipetpunten);
- analisten dragen beschermende kleding, zoals maskers en mutsen, in alle fasen van het onderzoek van het voorwerp en de DNA-analyse;
- referentiematerialen (bijvoorbeeld monsters die van verdachten, getuigen of slachtoffers afkomstig zijn) of monsters van plaatsen delict worden in aparte laboratoria, met andere apparatuur en in andere trajecten onderzocht;
- gebruik van onafhankelijk geteste analysemethodes en standaardprocedures waar in iedere testfase positieve en negatieve controles in ingebouwd zijn;
- databases van personeel (agenten, rechercheurs, weten-schappers) en leveranciers (bijvoorbeeld van gereedschap om monster mee te verzamelen), voor onderzoek naar besmettingsincidenten.

Al deze stappen dienen om het risico van besmetting te mi-nimaliseren, of om het zo waarschijnlijk mogelijk te maken dat momenten van mogelijke besmetting ontdekt worden om er zeker van te zijn dat ze geen invloed hebben op het onder-zoek en de vervolging. Het is onvermijdelijk dat dergelijke gebeurtenissen plaatsvinden, maar de hierboven beschreven procedures verminderen hun invloed.

Analyse en interpretatie van DNA-profielen

Het moleculaire gewicht van de verschillende allelen in DNA-profielen varieert en daarom kunnen ze geanalyseerd worden via elektroforese. Deze techniek scheidt moleculen op basis van hun elektrische lading en massa. Er zijn veel verschillende soorten elektroforese, maar de meest gebruikte methode voor DNA-analyse is capillaire gelelektroforese. Er worden kleur-stoffen toegevoegd aan het DNA, die worden waargenomen door een laser die een elektroferogram produceert (zie figuur 9 en 10). De pieken in het elektroferogram vertegenwoordigen de waargenomen allelen. De grijze pieken zijn DNA-fragmenten die een vooraf bekend formaat hebben, waardoor het mogelijk is het formaat van de allelen in het profiel te berekenen. In het elektroferogram worden de DNA-fragmenten van links naar rechts groter en daardoor vatbaarder voor degradatie. Zo nu en dan ontstaan er kleine pieken naast grotere pieken. Deze zijn het gevolg van een verschijnsel dat een 'stotter' genoemd wordt en kunnen in dit geval genegeerd worden. De eerste figuur toont een aantal typische DNA-profielen uit een verwantschapstest die gebaseerd is op het SGM*plus*© systeem. SGM*plus*© analyseert tien loci (twintig allelen) waaronder een geslachtsmerker (amelogenine). Dit systeem heeft een onderscheidingsvermogen van minder dan één in een miljard; met andere woorden, de kans dat het geen onderscheid maakt tussen twee niet-verwante, willekeurig gekozen personen is minder dan één op een miljard. Iedere locus bestaat uit twee allelen, en wanneer die van elkaar verschillen (heterozygoot zijn), wat vaak het geval is, zijn er twee pieken te zien op het elektroferogram. Wanneer hetzelfde allel overgeërfd is van beide ouders (homozygoot) zal er maar een piek te zien zijn, die hoger zal zijn omdat de twee identieke allelen een sterker signaal afgeven.

In figuur 9 zijn vier DNA-profielen te zien – van boven naar onder, mogelijke vader 1, mogelijke vader 2, kind (een zoon) en moeder. Helemaal aan de linkerkant van ieder profiel geven de gestippelde pieken het geslacht van de donor aan – twee pieken (van de X- en Y-chromosomen) bij de drie mannen en een enkele homozygote piek (XX) bij de moeder. Tenzij er een mutatie ontstaan is (wat erg zeldzaam is, maar wat ingecalculeerd is in de vergelijking) moeten alle allelen in het profiel van het kind afkomstig zijn van de moeder of de vader. Als we van links naar rechts kijken, laat de eerste zwarte piek in het elektroferogram van het kind zien dat hij homozygoot is voor deze locus. De moeder heeft twee pieken op deze positie en is daarom heterozygoot. Een van deze allelen komt overeen met die van het kind, wat te verwachten

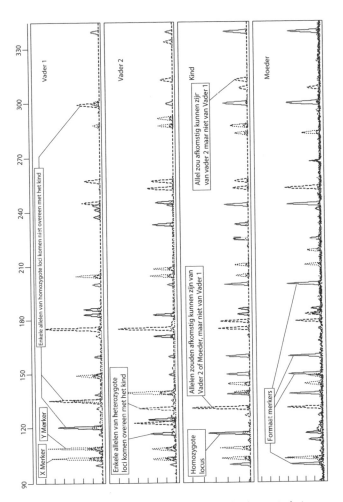

Vader 1

Enkele allelen van homozygote loci komen niet overeen met het kind

X Merker
Y Merker

Vader 2

Enkele allelen van heterozygote loci komen overeen met het kind

Kind

Allel zou afkomstig kunnen zijn van vader 2 maar niet van Vader 1

Allelen zouden afkomstig kunnen zijn van Vader 2 of Moeder, maar niet van Vader 1

Homozygote locus

Moeder

Formaat merkers

9. DNA-verwantschapstest die het SGMplus1 systeem gebruikt – een inclusie en een uitsluiting (van boven naar onder: potentiele vader 1, potentiele vader 2, kind, moeder).

was. Als we naar de elektroferogrammen van de potentiele vaders kijken, zien we dat vader 2 heterozygoot is en dat een van deze allelen overeenkomt met die van het kind. Vader 1 is homozygoot, maar de allel verschilt van die van het kind (de enkele piek heeft een iets andere positie). Dit betekent dat vader 2 de biologische vader zou kunnen zijn en is de eerste aanwijzing dat vader 1 het misschien niet zou kunnen zijn. De volgende pieken in het elektroferogram bestaan uit streepjes, die een tweede locus weergeven. De eerste grote gestreepte piek aan de linkerkant van het elektroferogram van het kind laat zien dat hij homozygoot is op deze locus (D3S1358), net als de moeder. Vader 2 is heterozygoot en een van de allelen komt overeen, en daarom moet hij in dit stadium nog niet uitgesloten worden. Vader 1 is homozygoot maar heeft een ander allel, en dit versterkt het idee dat hij niet de biologische vader is verder. Dit proces wordt voortgezet tot iedere locus vergeleken is, en bij iedere stap stapelt het bewijs zich verder op dat het profiel van vader 1 afwijkt (op zes loci) en dat vader 2 de biologische vader zou kunnen zijn. Na afloop van de analyse wordt er berekend hoe waarschijnlijk het is dat vader 2 de biologische vader van het kind is vergeleken met iedere willekeurige man in de plaatselijke bevolking.

Het tweede voorbeeld is typisch voor een DNA-profiel dat onttrokken is uit een vlek die in verband met een seksueel delict onderzocht wordt. Dergelijke vlekken bestaan meestal uit een mengsel van lichaamsvloeistoffen van de betrokken partijen, gewoonlijk sperma, vaginaal vocht en/of speeksel. Als dit niet al bij eerste analyse van de vlek vastgesteld is, kan het afgeleid worden uit het feit dat er meer dan twee echte allelen op een locus te zien zijn, of uit de plek waar de vlek gevonden is, zoals op de huid of de kleren van het slachtoffer. In dit geval is het DNA-profiel onttrokken aan een vlekje op een vaginaal uitstrijkje dat afgenomen is bij het slachtoffer van een mogelijke verkrachting. Het bovenste elektroferogram is van een differentiële extractie uit sperma in het monster, het middelste is van de verdachte, en de onderste van het slachtoffer. Er zal sowieso DNA uit de cellen van het slachtoffer in het monster gevonden worden, en de differentiële extractie dient om het DNA uit het sperma te scheiden van dat uit de vaginale cellen. Dit werkt doordat sperma beter bestand is tegen het enzym dat gebruikt wordt om de celwanden af te breken, en via centrifuge gescheiden kan worden van de rest. Dit proces werkt niet altijd voor honderd procent en soms levert het een gemengd profiel op. Om dit profiel te interpreteren, moeten we een paar aannames doen. De belangrijkste is dat alle aangetroffen allelen die overeenkomen met de donor ook van de donor zijn en dat alleen allelen die afwijken van die van de donor met zekerheid toegekend kunnen worden aan een ander persoon. Het is duidelijk dat het DNA in de vlek van een man is omdat er zowel X- als Y-merkers zichtbaar zijn. Door het elektroferogram van de vlek te vergelijken met dat van het slachtoffer, zie je dat er een aantal pieken zijn die niet van het slachtoffer afkomstig kunnen zijn (een aantal ervan zijn aangegeven). Als je deze pieken dan vergelijkt met het profiel van de verdachte, zie je dat ze overeenkomen met deze persoon. Er zijn andere pieken aanwezig die gedeeld worden door de betrokken personen. Samengevat, er is DNA gevonden in het vaginale uitstrijkje van het slachtoffer dat niet van het slachtoffer kan zijn en dat overeenkomt met de verdachte. De volgende vraag is: wat bewijst dit?

Er zijn een aantal verschillende manieren om de betekenis van een overeenkomend profiel te evalueren, maar ze vertrouwen allemaal op de frequentie waarin het verkregen profiel voorkomt. Hiervoor heb je inzicht nodig in het genetisch profiel van de populatie, en statistieken waarmee je een schatting kan maken van alle frequenties en daardoor van genotypen. Er wordt rekening gehouden met zaken als de grootte van de populatie, de kans op gedeeld voorouderschap en de omvang van de steekproef. Omdat de allelen die de basis zijn van de genotypen onafhankelijk van elkaar overerven, is de waarschijnlijkheid van het profiel het product van de individuele genotypen. In tabel 9 is een voorbeeld van een simpel, onvermengd profiel te zien. De kans dat twee niet-verwante mensen dit profiel delen, de waarschijnlijkheid van overeenkomst, is het tegenovergestelde van de profielfrequentie, en in dit geval is dat 1 op de 7.09 x 10^{-13}.

Deze berekeningen laten duidelijk zien dat een overeenkomend DNA-profiel een erg betrouwbare manier is om vast te stellen dat lichaamsvloeistoffen of weefsel van een specifieke persoon zijn.

Tabel 9: Frequenties van DNA-genotypen. Ter illustratie zijn de frequenties voor vader 2 uit het bovenstaande voorbeeld gebruikt

Locus	Genotype	Frequentie van het genotype
D19	14, 14	0,129
D3	17, 17	0,032
D8	14, 14	0,256
VWA	17, 17	0,073
THO1	9, 9,3	0,077
D21	30, 30	0,053
FGA	21, 22	0,058
D16	11, 14	0,081
D18	15, 18	0,024
D2	20, 20	0,020
Volledig profiel	Al het bovenstaande	7,09 x 10^{-13}

Bewijsmateriaal evalueren

Een van de redenen dat DNA zulk krachtig numeriek bewijs levert is dat het twee van de belangrijkste elementen uit de wetenschap combineert. Ten eerste worden er empirische gegevens uit de wereld om ons heen gebruikt, in dit geval

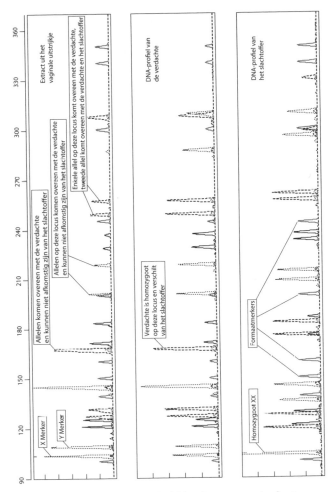

Extract uit het
vaginale uitstrijkje

Enkele allel op deze locus komt overeen met de verdachte,
tweede allel komt overeen met de verdachte en het slachtoffer

Allelen op deze locus komen overeen met de verdachte
en kunnen niet afkomstig zijn van het slachtoffer

Allelen komen overeen met de verdachte
en kunnen niet afkomstig zijn van het slachtoffer

X Merker

Y Merker

DNA-profiel van
de verdachte

Verdachte is homozygoot
op deze locus en verschilt
van het slachtoffer

DNA-profiel van
het slachtoffer

Formaatmerkers

Homozygoot XX

10. *Analyse van DNA uit een gemengde vlek (van boven naar onder: fractie van
de spermatozoïde, mannelijke verdachte, vrouwelijk slachtoffer).*

demografische genetica en relaties tussen mensen. Ten tweede worden er objectieve, statistische methoden gebruikt om de data te interpreteren. We trekken allemaal constant conclusies over de wereld om ons heen, maar het is algemeen bekend dat onze subjectieve oordelen en de manier waarop we kansen afwegen vaak tekortschieten. Daarnaast beïnvloeden zekere ingebakken vooroordelen ons oordeel (zie hoofdstuk 6 voor meer over dit onderwerp). Statistische waarschijnlijkheden geven inzicht in sommige van deze denkfouten. Een goed voorbeeld van ons gebrekkige vermogen om kansen in te schatten is het 'gokkersdilemma'. Als het balletje in een roulettespel lange tijd steeds op rood geland is, waar moeten we dan de volgende keer dat het wiel draait op wedden? Veel mensen zijn er subjectief van overtuigd dat zwart waarschijnlijker is, maar omdat iedere draai van het wiel onafhankelijk is van de vorige, blijft de kans op rood of zwart gelijk. Iets vergelijkbaars kan gebeuren als je een munt opgooit. We hebben de neiging te denken dat we een patroon kunnen ontlenen aan een korte, statistisch insignificante reeks – bijvoorbeeld vier keer kop op een rij. Net als in het vorige voorbeeld blijft de kans om kop of munt te krijgen dezelfde. Bij de interpretatie van forensisch bewijs bestaat hetzelfde risico, en daarom kunnen we veel beter op statistische waarschijnlijkheden vertrouwen dan op ons subjectieve oordeel. Paul Kirk zag waarschijnlijkheid als 'het grondbeginsel van de interpretatie van al het fysieke bewijsmateriaal'.

Er zijn een aantal verschillende manieren om de relevantie van overeenkomende DNA-profielen in te schatten, zoals de frequentie van het profiel (hoe vaak het waarschijnlijk teruggevonden zou worden in een geselecteerde populatie) of hoe waarschijnlijk de overeenkomst is (het omgekeerde van de frequentie), die beide een leidraad kunnen geven. Maar er zijn problemen met frequenties, en waarschijnlijkheid van overeenkomst heeft ook beperkingen. Een hiervan is dat wanneer waarschijnlijkheid van overeenkomst erg klein wordt, dat erg makkelijk verkeerd geïnterpreteerd kan worden. Hoe interpreteer je de waarschijnlijkheid van overeenkomst van één op een miljard in verhouding tot de bevolking van Nederland, die rond de zeventien miljoen is? Een tweede probleem is dat een erg kleine waarschijnlijke overeenkomst verkeerd geïnterpreteerd kan worden als het gaat om een onschuldig persoon; het lijkt te impliceren dat de persoon schuldig is als het bewijsmateriaal op hem aangetroffen wordt. Deze verkeerde interpretatie staat bekent als 'sofisme van de aanklager', of drogredenering. Een andere statistische manier om bewijsmateriaal dat voor DNA-profielen gebruikt wordt te evalueren is gebaseerd op een theorie die in 1764 geformuleerd is door Thomas Bayes, die een waarschijnlijkheidsratio gebruikt die de aannemelijkheidsverhouding heet. In forensische wetenschap zijn de belangrijkste waarschijnlijkheden de waarschijnlijkheid van het bewijsmateriaal als de versie van de aanklager waar is (met andere woorden, de persoon is schuldig) en de waarschijnlijkheid van het bewijsmateriaal als de versie van de verdediging waar is (de persoon is onschuldig).

Bayesiaanse evaluatie van bewijsmateriaal vermijdt een paar van de problemen waar je mee te maken kan krijgen wanneer de relatieve frequentie van het bewijsmateriaal berekend wordt. Dit is te illustreren met een bekend theoretisch voorbeeld. Stel dat er iemand verkracht is in een stadje waar tienduizend mannen wonen, en dat we er om andere redenen zeker van kunnen zijn dat een van hen de dader is. Op de plaats delict worden sporen van mineralen gevonden die een verband leggen tussen de dader en een plaatselijke mijn waar tweehonderd mannen werken. Wanneer een verdachte gearresteerd wordt, worden er vergelijkbare sporen in zijn kleding gevonden. Wat betekent dit bewijsmateriaal? Om deze zaak als voorbeeld te kunnen gebruiken, moeten we aannemen dat alle mannen die in de mijn werken vergelijkbare mineralensporen bij zich dragen. Hoewel dit niet per se zo hoeft te zijn, nemen we aan dat het geldig is voor deze zaak.

Er wonen 9.999 onschuldige mannen in de stad en 199 van hen werken in de mijn. We kunnen schatten dat de waarschijnlijkheid dat we dit bewijsmateriaal bij een onschuldige man vinden 199/9.9999, ongeveer 0,02, is. Dit impliceert dat het bewijsmateriaal ongewoon en daarom relevant is. Maar hoe groot is de kans dat we het bewijsmateriaal vinden bij een onschuldige man? Omdat we kunnen verwachten dat alle mannen die in de mijn werken hetzelfde bewijsmateriaal bij zich dragen, kunnen we deze schatting maken met de ratio 199/200, ongeveer 0,995. Omdat dergelijk bewijsmateriaal heel veel voorkomt bij mijnwerkers, geeft dit een heel andere indruk. Deze kansberekeningen illustreren de drogredenering van de aanklager: gegeven dat de man in de mijn werkt, is het waarschijnlijker dat de mineralensporen betekenen dat hij onschuldig is dan dat hij schuldig is. Het gebruik van Bayesiaanse logica om bewijsmateriaal te evalueren is niet universeel geaccepteerd en omdat het zo complex is, heeft het voor problemen in de rechtbank gezorgd. Maar de meeste statistici en veel forensische wetenschappers beschouwen het als de meest effectieve methode.

DNA-databases

De eerste DNA-database ter wereld werd in 1995 in Engeland en Wales gecreëerd, en sindsdien hebben de meeste ontwikkelde landen DNA-databases in gebruik genomen. De logica achter de meeste databases berust op dezelfde algemene principes: een kleine groep pleegt de meeste misdrijven; veel van deze personen vervallen in herhaling; de meeste criminelen zijn betrokken bij een groot aantal verschillende misdaden; veel personen die betrokken zijn bij zware misdaad plegen ook minder zware misdrijven. DNA (en vingerafdrukken) van veroordeelde personen opslaan betekent daarom dat overtreders die al een strafblad hebben waarschijnlijk sneller geïdentificeerd en gearresteerd kunnen worden.

Omdat de wetgeving, de politieprocedures en het soort DNA-profilering dat gebruikt wordt van land tot land verschillen, varieert de aard van DNA-databases ook aanzienlijk. In sommige landen wordt DNA alleen opgeslagen bij bepaalde ernstige misdrijven. In andere landen worden DNA-monsters opgeslagen maar uiteindelijk vernietigd. In Nederland gelden er verschillende bewaartermijnen voor verschillende categorieën DNA-profielen. Wanneer er sporen worden aangetroffen op een 'plaats delict', dan worden deze afhankelijk van de strafbedreiging behorend bij het delict twaalf, twintig of tachtig jaar bewaard. Dat geldt ook voor DNA-profielen van overleden slachtoffers en vermiste personen. Profielen van ex-gedetineerden worden na twintig jaar verwijderd of na een verzoek tot verwijdering. DNA-profielen van niet-verdachten (slachtoffers, getuigen, en dergelijke) worden niet opgenomen in de DNA-databank. Dat geldt ook voor DNA-profielen van individuen die vrijwillig meedoen aan een DNA-bevolkingsonderzoek. DNA-Profielen van verdachten die niet worden veroordeeld, worden verwijderd nadat het Openbaar Ministerie het NFI heeft laten weten dat de betrokken persoon niet langer als verdachte kan worden aangemerkt (tenzij er inmiddels een match is opgetreden met een DNA-profiel uit een andere zaak).

Het Verenigd Koninkrijk had de ruimste wetgeving ter wereld en is het enige land dat toestaat dat het DNA van personen die niet veroordeeld zijn bewaard wordt. Het is ook het enige land dat speculatieve zoektochten door de nationale DNA-database toestaat. Bijvoorbeeld, als een persoon gearresteerd wordt voor een misdrijf (ongeacht of hij later veroordeeld wordt of niet), kan de database doorzocht worden om te zien of zijn DNA-profiel in verband te brengen is met andere incidenten. In andere landen is dit illegaal. Hoe vrij DNA-databases gebruikt mogen worden lijkt verband te houden met wie de eigenaar is van de informatie, de politie of de rechterlijke macht. Wanneer de informatie eigendom is van de politie, zoals in het Verenigd Koninkrijk, staat de wetgeving

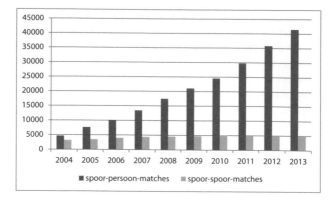

11. In deze grafiek is te lezen hoeveel matches er per jaar gevonden zijn tussen het DNA op een spoor die gekoppeld kunnen worden aan een persoon. In 2013 was dit maar liefst 41.450 keer.

over het algemeen meer toe. In de rest van Europa, waar de informatie grotendeels eigendom is van de rechterlijke macht, is het gebruik van DNA-informatie beperkter. In Nederland is de database met DNA-profielen eigendom van de minister van Justitie en wordt deze beheerd door het NFI.

Het is duidelijk dat DNA-databases een positieve bijdrage leveren aan het onderzoek naar en de vervolging van misdaad, maar er is weinig onderzoek gedaan dat aantoont wat die bijdrage precies is. Dergelijk onderzoek zou de volgende vragen kunnen beantwoorden: welke rol speelt DNA bij het opsporen van misdaad?; welke rol speelt DNA bij de vervolging van misdadigers?; is DNA bij sommige misdrijven meer of minder effectief dan bij andere?; wordt misdaad sneller ontdekt wanneer DNA een rol speelt? Op het moment kennen we het antwoord op deze vragen alleen uit anekdotisch bewijs.

Voor misdaadonderzoekers is DNA-profilering een krachtig stuk gereedschap omdat bloed en lichaamsvloeistoffen bij een groot aantal verschillende misdrijven overgedragen worden, en extreem kleine hoeveelheden ervan al geanalyseerd kunnen worden. Voor de analyse worden meerdere tests gebruikt die snel en goedkoop uitgevoerd kunnen worden op een enkele vlek. De analyse is heel nauwkeurig en levert erg sterk bewijsmateriaal. Dit betekent dat overtreders snel geïdenti-ficeerd kunnen worden als hun profielen opgeslagen staan in een database, en bevolkingsonderzoeken gebruikt kunnen worden om grote groepen mensen, van wie er veel vrijwillig mee zouden kunnen werken, uit te sluiten. Daarnaast kan een overtreder die zelf niet in de database staat maar er wel een familielid in heeft staan indirect geïdentificeerd worden, omdat de politie een vergelijkbaar DNA-profiel kan vinden (zoekopdracht naar familieleden).

6. Afdrukken en sporen: meer manieren om mensen en voorwerpen te identificeren

Sporen (of indrukken) worden veroorzaakt doordat een voorwerp een patroon overbrengt op iets anders. Dit kan de afdruk van een schoen zijn, een vingerafdruk of, minder voor de hand liggend, het strepenpatroon op een plastic zak dat door een stuk gereedschap in het productieproces is achtergelaten. Slagpinnen van vuurwapens (zie figuur 12), zagen, banden, schroevendraaiers en voeten kunnen allemaal sporen achterlaten die gebruikt kunnen worden om het type voorwerp dat ze gemaakt heeft (een schoen, een band), en soms zelfs het specifieke voorwerp, te identificeren. In dit hoofdstuk gebruiken we schoen- en vingerafdrukken om de algemene eigenschappen van afdrukkenbewijsmateriaal, de uitgangspunten bij het onderzoek ervan en de manier waarop het bewijsmateriaal geëvalueerd wordt te illustreren.

Bewijsmateriaal van dit type bestaat meestal uit vinger-afdrukken of schoenafdrukken. De meeste onderzoekers van afdrukken geloven dat een voorwerp dat een afdruk gemaakt heeft (of een persoon, als het om vingerafdrukken gaat) ondubbelzinnig – met 100% zekerheid – geïdentificeerd kan worden. We hebben in het dagelijks leven allemaal ervaring met afdrukken en trekken er zelf af en toe ook onze conclusies uit: wie heeft er modder achtergelaten op de keukenvloer – een jongetje (een schoenafdruk) of een hondje (een pootafdruk)? De manier waarop afdrukken gebruikt worden in het misdaad-onderzoek ligt in het verlengde van deze alledaagse ervaring. Wat minder voor de hand ligt is hoe dergelijke afdrukken via informatiedatabases gebruikt kunnen worden om patronen in misdaad te analyseren, of om te bepalen of iemand aange-klaagd moet worden voor drugsbezit of drugshandel.

Sporen kunnen zichtbaar of onzichtbaar (latent) zijn. In het laatste geval zijn er specialistische optische, natuurkundige of scheikundige technieken nodig om ze zichtbaar te maken. Ze kunnen in verschillende soorten stoffen – modder, bloed, stof, zweet, roet – gemaakt worden ('negatieve' sporen), of door het ene materiaal over te brengen op het andere ('positieve' sporen). Een schoen die in een poel bloed trapt kan een negatieve afdruk in het bloed achterlaten, gevolgd door positieve afdrukken op de vloer waarop gelopen is.

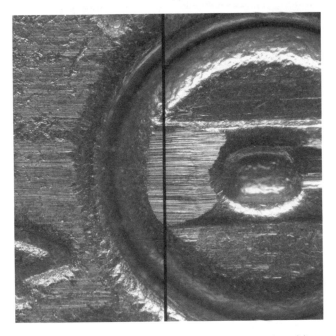

12. Groeven op een kogelhuls. Dit beeld toont een patroon van een plaats delict en een patroon die als testschot is afgevuurd onder een vergelijkingsmicroscoop; op beide patronen zijn dezelfde strepen te zien, wat betekent dat de kogels afgevuurd zijn met hetzelfde wapen.

Een karakteristieke eigenschap van veel sporen is dat je het soort voorwerp dat de afdruk gemaakt heeft kunt afleiden uit de algemene kenmerken van het spoor. Hoe het spoor eruitziet geeft over het algemeen de vorm van het voorwerp weer, de belangrijkste eigenschappen ervan, en hoe die zich tot elkaar verhouden. Schoenafdrukken, vingerafdrukken en bandensporen zijn vaak in een oogopslag te herkennen, hoewel dit niet altijd zo is. Maar sporen kunnen ook meer gedetailleerde informatie geven over het soort voorwerp dat hen gemaakt heeft. Een spoor is niet alleen van 'een schoen', maar van een specifiek soort schoen (bijvoorbeeld een Reebok Classic), of van een zaag met een bepaald aantal tanden per centimeter, of van een schroevendraaier met een specifieke bladbreedte. Dit geeft de onderzoeker de kans alvast enige informatie te verzamelen, hoewel het voorwerp of de verdachte zelf ontbreekt. Als rechercheurs weten naar welk voorwerp ze uit moeten kijken, kunnen ze er gericht naar zoeken. Een database waarin informatie over een groot aantal sporen bijeen is gebracht kan gebruikt worden om verbanden te leggen tussen plaatsen delict. Dergelijke databases worden veel gebruikt voor vingerafdrukken, en we zullen hun toepassing voor schoenen later bespreken.

Hoewel er heel veel verschillende voorwerpen zijn die sporen achter kunnen laten, is de manier waarop ze vergeleken worden, en het doel ervan, min of meer hetzelfde: vaststellen of er een verband is tussen het spoor en het referentievoorwerp of niet, en zo ja hoe sterk de overeenkomst is. We hebben de aard van identiteit al besproken, en hoe overeenkomsten in DNA-profielen geëvalueerd worden in termen van waarschijnlijkheid, maar dit proces wordt niet gebruikt om sporen te identificeren. In plaats daarvan kijkt de onderzoeker hoe overeenkomsten tussen het spoor en het referentievoorwerp geleidelijk opbouwen, tot er een punt komt waarop hij besluit dat het spoor bij dat voorwerp (schoen, stuk gereedschap, vinger) hoort en niet bij een ander. In wetenschappelijke termen is dit op zijn zachtst gezegd een vreemde conclusie omdat hij onmogelijk logisch gerechtvaardigd kan worden. Een dergelijke conclusie zou pas logisch zijn als de onderzoeker het spoor zou vergelijken met alle referentiesporen die op dat moment bestaan. Toch zijn de meeste onderzoekers bereid een dergelijke conclusie te trekken, en rechtbanken accepteren dergelijke conclusies over het algemeen omdat ze de voorkeur geven aan bewijsmateriaal dat helder en eenvoudig te begrijpen is. We zullen de kwestie verder bekijken met behulp van vingerafdrukken. De kwaliteit van het spoor (de hoeveelheid informatie en detail die aanwezig is) is van doorslaggevend belang om te bepalen of er een overeenkomst is en hoe sterk die is. Het vergelijkingsproces dat forensische laboratoria routinematig uitvoeren volgt de procedure die voor het meeste sporenonderzoek aangehouden wordt, en stelt de volgende vragen:

- Wat zijn de kenmerken en eigenschappen van het spoor?
- Kunnen deze teruggevonden worden in het referentievoorwerp?
- Komen de kenmerken en eigenschappen van het spoor overeen met die van het referentievoorwerp?
- Zijn er eigenschappen die niet overeen lijken te komen?
- Hoe relevant zijn de overeenkomende eigenschappen?
- Zijn de verschillen relevant (moet het spoor geëlimineerd worden of zijn de verschillen te verklaren)?
- Hoe sterk is de overeenkomst of het verschil?

Een ander belangrijk punt is hoe de verschillen tussen het spoor en het referentievoorwerp beoordeeld moeten worden. Dergelijke verschillen betekenen niet per se dat het voorwerp geëlimineerd moet worden. Gereedschappen, schoenen en banden verslijten bij gebruik en zullen verder slijten nadat ze sporen hebben achtergelaten. Dit kan voor nieuwe kenmerken zorgen, bijvoorbeeld vanwege schade, die niet in het spoor achtergelaten zijn, of er kunnen patrooneigenschappen verloren gaan die wel in het spoor te zien zijn. De onderzoeker moet dergelijke verschillen beoordelen op basis van zijn kennis en ervaring. Dit is over het algemeen niet aan de orde met vingerafdrukken, zoals we nog zullen zien.

Vingerafdrukken

'Vingerafdruk' is bijna synoniem voor identificatie en identiteit. In de spreektaal verwijst het vaak naar iedere verzameling eigenschappen die een voorwerp, een activiteit of zelfs een stijl definiëren. Vingerafdrukken vallen op tussen de vele verschillende indrukken die het forensisch onderzoek aantreft omdat ze biologisch van oorsprong zijn, niet gefabriceerd, en omdat ze net als DNA rechtstreeks een persoon kunnen identificeren. In Nederland worden vingerafdrukken al meer dan honderd jaar gebruikt om slachtoffers en criminelen te identificeren; mei 2014 waren er ruim 42 miljoen vingerafdrukken van 1.088393 unieke personen opgeslagen in de nationale database (HAVANK). Daarnaast bevat het systeem nog 210.437 ongeidentificeerde sporen. Vingerafdrukken bestaan uit ribbels ('papillairlijnen') die op de vingers en handpalmen en op de voetzolen aangetroffen worden. Hier heeft de huid een patroon van ribbels en groeven dat via zweet overgebracht kan worden als je een voorwerp aanraakt, bijvoorbeeld wanneer je een drinkglas oppakt. De patronen zijn genetisch bepaald en ontstaan in de baarmoeder. Maar ze zijn ook onderhevig aan niet-genetische invloeden – identieke tweelingen, die een identiek genoom en identiek DNA hebben, hebben verschillende vingerafdrukken.

Het onderzoek van vingerafdrukken is gebaseerd op gedetailleerde kenmerken, gevormd door de patronen van de ribbels, die met elkaar vergeleken kunnen worden. Tenzij ze op de een of andere manier beschadigd raken, blijven deze huidpatronen een leven lang bestaan, en ze voorzien ons van een sterk biometrisch kenmerk dat gebruikt kan worden om personen mee te identificeren en dat opgeslagen kan worden

in databases. In de meeste landen ter wereld worden vingerafdrukken standaard gebruikt om te controleren of iemand die
gearresteerd wordt is wie hij zegt die hij is, en of hij eerder in
contact is geweest met de politie. Ze worden ook gebruikt om
personen in andere situaties te identificeren, bijvoorbeeld als
algemene beveiliging in gebouwen en om toegang te krijgen
tot computers. Maar misschien zijn vingerafdrukken nog
het bekendst als middel om een verband te leggen tussen
een persoon en een plaatst delict of een voorwerp (zoals een
wapen of een voertuig), wat belastend voor hem kan zijn.
Hoewel dit feit algemeen bekend is en je vingerafdrukken
eenvoudig kunt voorkomen door handschoenen te dragen,
worden ze nog steeds in grote hoeveelheden aangetroffen
op plaatsen delict, en onderzoek van vingerafdrukken is een
van de belangrijkste en meest waardevolle gebieden van de
forensische wetenschap.

Hoewel vingerafdrukonderzoek in veel landen gescheiden
is van de rest van de forensische wetenschap, om redenen die
wellicht historisch gegroeid zijn (en die te complex zijn om
hier te bespreken), maar die niet langer te rechtvaardigen zijn.
De huidige fysieke, methodologische, cognitieve en culturele
scheiding tussen vingerafdrukken en andere gebieden van
de forensische wetenschap is volgens mij niet in het belang
van het recht, en op lange termijn ook niet in dat van de
vingerafdrukexperts. Recente ontwikkelingen in Schotland,
waar alle specialistische forensische diensten in een enkele
organisatie zijn ondergebracht, dienen het rechtssysteem
waarschijnlijk beter.

Geschiedenis

Het is al duizenden jaren bekend dat vingerafdrukken als
identificatiemiddel kunnen dienen; in de oude wereld werden
de afdrukken bijvoorbeeld gebruikt om vast te stellen wie de
eigenaar van kleien potten was. De moderne geschiedenis
van het vingerafdrukonderzoek begint ongeveer honderd jaar

geleden. Op 8 april 1908 trof een Rotterdamse inspecteur het eerste spoor aan op een plaats delict dat werd teruggevonden en geïdentificeerd in de dactyloscopische verzameling die sinds 1904 was aangelegd. De eerste bekende veroordeling op basis van dactyloscopisch bewijs is een inbraak, behandeld door de Rechtbank te Amsterdam op 18 maart 1914.

Henry Faulds publiceerde in 1880 een artikel in het wetenschappelijke tijdschrift *Nature*, waarmee hij de eerste persoon was die voorstelde vingerafdrukken te gebruiken bij het onderzoek naar misdaad. Talloze anderen, in het bijzonder Francis Galton, de Engelse wetenschapper en neef van Charles Darwin, zorgden ervoor dat er procedures ontwikkeld werden voor vingerafdrukonderzoek en moedigden het gebruik ervan aan. Galton schreef in 1892 het eerste handboek met een systeem voor de classificatie van vingerafdrukken. Edmond Henry paste het classificatiesysteem van Galton aan tot het meest gebruikte systeem in de wereld: het Galton-Henry systeem. Hoewel er in de loop der tijd een paar dingen veranderd zijn, zijn de processen die aan het begin van de twintigste eeuw ontwikkeld zijn grotendeels hetzelfde gebleven tot de ontwikkeling van gecomputeriseerde automatische vingerafdrukidentificatiesystemen in de jaren 1980 en de livescan-technologie (digitaal inlezen van vingerafdrukken) in de jaren 1990.

Kenmerken van vingerafdrukken

Tot nu toe hebben we de termen 'afdruk' en 'spoor' door elkaar gebruikt, maar er bestaat een belangrijke conventie bij het gebruik van deze terminologie. Beide termen verwijzen naar patronen die achtergelaten zijn op oppervlakken, maar het woord 'afdruk' verwijst naar indrukken die gemaakt zijn door bekende bronnen. 'Vingerafdrukken' zijn de afdrukken die van een persoon genomen worden voor een dossier, of om hem te identificeren. De sets van alle tien vingerafdrukken die voor politiedossiers worden genomen worden 'ten-prints' genoemd. Indrukken van vingers die achtergelaten worden op voorwerpen worden 'vingersporen' of eenvoudigweg 'sporen' genoemd. Hiermee wordt een belangrijk onderscheid gemaakt tussen situaties waarin de bron van de indruk bekend is en situaties waarin die niet bekend is, maar afgeleid kan worden uit onderzoek.

Sporen ontstaan over het algemeen uit zweet dat achtergebleven is op het oppervlak van de ribbels. Dit residu bestaat voornamelijk uit water, maar bevat ook eiwitten, aminozuren, vetzuren, anorganische zouten, cholesterol en squaleen. De hoeveelheid residu die iemand achterlaat is afhankelijk van een groot aantal variabelen, zoals de conditie van de huid en het dieet, de leeftijd, het geslacht en de lichamelijke conditie van de donor. Het oppervlak waar het spoor op is achtergelaten is ook belangrijk. Sporen die achtergelaten worden op poreuze oppervlakken zoals papier kunnen tientallen jaren blijven bestaan omdat het residu geabsorbeerd wordt en gefixeerd raakt. Sporen op gladde oppervlakken zijn daarentegen gevoelig voor slijtage en hoe lang ze blijven bestaan hangt sterk af van hoe het voorwerp na afloop behandeld wordt.

Er zijn drie belangrijke ribbelpatronen te onderscheiden: lussen, kringen, en bogen (zie figuur 13). Deze kunnen gebruikt worden om afdrukken en sporen te classificeren of om snel een spoor dat een opvallend ander patroon heeft uit te sluiten.

De ribbels lopen niet ononderbroken door, maar zijn samengesteld uit verschillend geordende kenmerken (*minutiae*), zoals vorken, ribbeleindes en soortgelijke vormen. Ons vermogen om een vingerafdruk te karakteriseren en een donor te identificeren is voornamelijk gebaseerd op de volgorde van minutiae in de afdruk of het spoor. Deze reeksen zijn uniek (net als DNA) en een spoor bevat vaak veel meer informatie dan nodig. Hetzelfde spoor kan op een aantal verschillende manieren geïdentificeerd worden en het is niet ongewoon dat verschillende vingerafdrukexperts dezelfde conclusie over een spoor trekken met behulp van verschillende reeksen minutiae.

13. Ribbelpatronen van een vingerafdruk. De drie belangrijkste categorieën die gebruikt worden zijn hier getoond: lus (rechts), kring (links) en boog (boven). Patronen die niet overeenkomen kunnen gebruikt worden om een spoor snel te elimineren.

Voor een identificatie moet er een bepaald aantal minutiae overeenkomen en op dezelfde volgorde liggen, zonder opvallende of onverklaarbare verschillen. Figuur 14 toont twee van de belangrijkste minutiae, samen met een vergelijking tussen een onbekend spoor en een referentieafdruk.

Naast het patroon van het spoor en de volgorde van minutiae kunnen andere eigenschappen, zoals het patroon van minuscule openingen in de ribbels, ook gebruikt worden om sporen te identificeren.

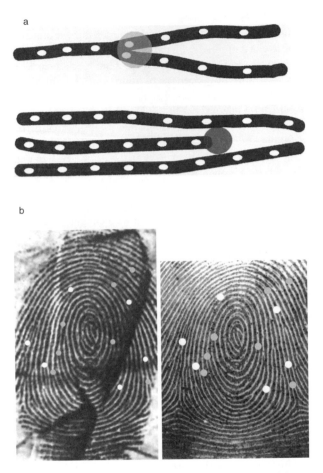

14a. Minutiae van vingerafdrukken: vork (boven) en ribbeleinde (onder).
14b. Vingerafdrukvergelijking tussen een spoor (links) en een afdruk (rechts),
waarin te zien is hoe vorken en ribbeleindes overeenkomst en dezelfde volgorde
hebben.

Het veiligstellen van sporen

Latente sporen kunnen veiliggesteld worden door er met een borsteltje een fijn poeder op aan te brengen. Dit is de oudst bestaande methode, en wordt nog altijd het meest gebruikt. Er zijn verschillende poeders te koop, van verschillende materialen, korrelgroottes, vorm en kleur, die gebruikt kunnen worden op oppervlakken van verschillende texturen en kleuren. Aluminiumpoeder (wat het meest gebruikt wordt) en vergelijkbare poeders hebben de neiging zich aan de vettige bestanddelen in het residu te hechten. Deze werken beter op gladde oppervlakken dan op andere ondergronden, maar het voordeel ervan is dat ze eenvoudig in gebruik en makkelijk aan te brengen zijn. Er bestaat een groot aantal andere technieken om latente sporen aan te tonen en zichtbaar te maken; welke er gebruikt wordt, hangt af van het soort oppervlak waar het spoor op achtergelaten is en van de bestanddelen in het residu van het spoor. Lasers en ultraviolet licht kunnen gebruikt worden om de sporen op te laten lichten, waarna ze gefotografeerd kunnen worden. Er bestaan ook een aantal chemicaliën die het spoor scherper kunnen maken doordat ze reageren met bepaalde bestanddelen in het residu. Een van de bekendste methodes gebruikt ninhydrine, een stof die een reactie aangaat met de aminozuren in het spoor. Dit werkt erg goed op poreuze oppervlakken en wordt vaak gebruikt om sporen op papier zichtbaar te maken. Een scheikundige methode die vaak op gladde oppervlakken toegepast wordt, gebruikt verdampt cynaoacrylaat (een bestanddeel van superlijm) dat reageert met het residu, en het zichtbaar maakt als bleekgrijze of witte sporen. Deze methoden worden vaak in een logische volgorde toegepast.

Vergelijking van vingerafdrukken

Onderzoekers die sporen vergelijken met afdrukken gebruiken tegenwoordig de algemeen geaccepteerde standaardmethodologie: analyse, vergelijking, evaluatie en controle:

- Analyse. In deze fase evalueert de onderzoeker de kwaliteit van en de hoeveelheid informatie in een spoor in detail. Hij licht zaken als de mogelijke ondergrond en de invloed daarvan op het spoor toe. Hij houdt ook rekening met de effecten van vertekening en druk, waarmee hij kleine variaties (toleranties) tussen het spoor en de afdruk kan verantwoorden.
- Vergelijking. Dit is het onderzoek waarbij spoor en afdruk naast elkaar worden gelegd om overeenkomsten (of het gebrek eraan) vast te stellen. Volgens Christophe Champod, een bekende academicus en ervaren forensisch expert zou eerst het spoor onderzocht moeten worden en daarna pas de afdruk. Als het in omgekeerde volgorde gedaan wordt, moet dat zeer zorgvuldig gedaan worden, en het moet specifiek vastgelegd worden in het dossier. Champod adviseerde bij de zaak naar de Schotse politieagente McKie, wier vingerafdruk op de plaats van een moord aangetroffen zou zijn. McKie ontkende altijd op die plek te zijn geweest. Ze werd vrijgesproken nadat buitenlandse experts haar in het gelijk stelde.
- Evaluatie. Aan de hand van alle overeenkomsten tussen spoor en afdruk spreekt de onderzoeker een oordeel uit: kan het spoor geëlimineerd worden of is er een overeenkomst? Als er een overeenkomst is, is de mate van overeenkomst dan voldoende om een persoon te identificeren? Dit oordeel is een gevolgtrekking en daarom subjectief.
- Controle. Een tweede ervaren en gekwalificeerde vingerafdrukexpert bekijkt de vergelijking en de conclusie onafhankelijk van de eerste onderzoeker, volgens hetzelfde protocol.

Deze procedure mondt uit in een van drie mogelijke conclusies. De eerste is een *identificatie* (of 'individualisatie', zoals ze in sommige delen van de wereld zeggen), wat betekent dat het spoor overeenkomt met de afdruk van een persoon met uitsluiting van alle anderen. De tweede mogelijkheid is *uitsluiting*: de persoon wiens afdrukken gebruikt zijn voor de vergelijking kan het spoor niet achtergelaten hebben. De derde mogelijke conclusie is *onbepaald* (of onvoldoende): dat wil zeggen dat er geen oordeel uitgesproken kan worden over het spoor (gewoonlijk vanwege de slechte kwaliteit ervan, of gebrek aan detail) dat eenduidig genoeg is voor een strafrechtelijk onderzoek of een vervolging. Het is niet moeilijk te zien waarom deze derde categorie voor problemen zorgt.

Laten we deze uitkomsten van wat dichterbij bekijken. Als er opvallende verschillen tussen een spoor en een afdruk te zien zijn, kan iemand uitgesloten worden van het onderzoek. Dit is de gebruikelijke gang van zake in de forensische wetenschap – uitsluiting is vaak een simpele zaak. Eén doorslaggevend verschil is genoeg, ongeacht wat er vergeleken wordt (haren, vezels, verfsporen). Identificatie vindt plaats wanneer de onderzoeker gelooft dat zo veel stukjes (minutiae, etc.) opgebouwd zijn dat hij de conclusie kan trekken dat een spoor zonder twijfel toegekend kan worden aan een bepaalde persoon. Sporen die tussen deze twee categorieën vallen worden als onbepaald beschouwd, maar deze categorie omvat noodzakelijkerwijze een verzameling sporen die heel verschillende hoeveelheden informatie bevatten. Sommige ervan zullen weinig tot geen informatie bevatten: misschien een patroon en een of twee minutiae. Andere zullen behoorlijk wat details bevatten – misschien niet genoeg voor een identificatie, maar betekent dat dat ze geen waarde hebben? In alle andere gebieden van de forensische wetenschap (inclusief sporenonderzoek) levert de onderzoeker commentaar op de relevantie van de overeenkomst wanneer bewijsmateriaal niet sterk genoeg is voor identificatie maar wel overeenkomende kenmerken heeft. De gewoonte om bewijsmateriaal dat niet te identificeren en als 'onbepaald' te categoriseren komt alleen voor bij vingerafdrukken, en we zullen hier aan het eind van dit hoofdstuk op terugkomen.

Eisen aan identificatie

De eisen aan vingerafdrukidentificatie zijn de afgelopen honderd jaar ontwikkeld, maar het traject van deze ontwikkeling is niet altijd logisch en op feiten gebaseerd geweest. De situatie verschilt ook in verschillende landen, maar er zijn enkele overeenkomsten. Lange tijd was men het er in de vingerafdrukwereld min of meer over eens dat er een gespecificeerd aantal overeenkomende minutiae in dezelfde volgorde (zonder verschillen) nodig was om het spoor te identificeren. Dit aantal verschilde van land tot land en soms zelfs binnen een land.

Tabel 10: Systeem Pateer

Nr.	Naam	Kern	delta	Bijzonderheden
1	Boog			-
2	Tentboog	1		-
3	Lus naar rechts	1	1	-
4	Lus naar links	1	1	-
5	Dubbele lus		2	-
6	Middenzak naar rechts	1	2	Tussen kern en delta minder dan 7 tellijnen
7	Middenzak naar links	1	2	Tussen kern en delta minder dan 7 tellijnen
8	Kring	1	2	delta's op nagenoeg dezelfde hoogte
9	Samengesteld figuur			Alles is mogelijk
10	Onleesbaar figuur			Tijdelijk onleesbaar

In Nederland maken we voor het vastleggen van vingerafdrukken gebruik van verschillende systemen. De regio Rotterdam Rijnmond gebruikt het eerdergenoemde Galton-Henry systeem; diverse andere korpsen gebruiken het systeem Pateer (zie tabel 10) dat vernoemd is naar de Amsterdamse Inspecteur van politie E.J. Pateer. In het overzicht staan tien hoofdclassificaties die bepalend zijn voor de identificatie van een vingerafdruk.

De kenmerken op de ribbels waarmee je vingerafdrukken binnen een classificatie kunt onderscheiden noemen we 'typica' (punten). De kern en de delta zijn de belangrijkste vaste punten. Een sporenonderzoeker voert de typica in de computer in. De computer vergelijkt deze punten vervolgens met het eigen bestand. Voor de daadwerkelijke identificatie van een spoor wordt gebruik gemaakt van verschillende standaarden. In Engeland en Schotland werd bijvoorbeeld jarenlang de zogenoemde 'zestienpuntstandaard' gebruikt. In Nederland gebruiken we doorgaans de twaalf puntenregel om een spoor te identificeren. Dat betekent dat er twaalf punten van overeenkomst moeten zijn tussen het spoor en het signalement en geen strijdige punten. Daarnaast is er ook nog een tien puntenregel. In dat geval worden er meer eisen aan het spoor gesteld en controleert een gecertificeerde deskundige de identificatie.

In de nationale vingerafdrukdatabase in Nederland (HAVANK) staan 'tenprints' van bijna 1.100.00 personen opgeslagen. In Nederland worden er vingerafdrukken genomen van iedereen die gearresteerd wordt voor een strafbaar feit, waarna ze opgeslagen worden in deze database. De database is een machtig wapen om mensen te identificeren, aan plaatsen delict te verbinden, en om verschillende plaatsen delict van dezelfde dader aan elkaar te verbinden.

Schoensporen

Schoensporen worden in een groot aantal verschillende onderzoeken gebruikt, waaronder veel voorkomende criminaliteit en zware misdaad. Ze zijn nuttig om een verband te leggen tussen sporen en schoenen, maar schoensporen kunnen ook preventieve informatie leveren en kunnen voorafgaand aan de arrestatie van een overtreder bijdragen aan een onderzoek door het soort schoenen dat gedragen wordt te identificeren of door een verband te leggen tussen verschillende plaatsen delict. Schoensporen kunnen aangeven waar personen zich op een plaats delict bevonden en hoe ze zich verplaatst hebben, wat belangrijk kan zijn voor het onderzoek van of de vervolging in een zaak. Bijvoorbeeld, als er in de buurt van een raam een spoor van een schoen wordt gevonden, kan dat een sterke aanwijzing zijn dat dit het punt was waar een inbreker binnengekomen is (of vandaan vertrokken is). Schoensporen kunnen op ongeveer dezelfde manieren veiliggesteld worden als vingerafdrukken. De meest gebruikte manier is fotografie, waarbij er een liniaal meegefotografeerd moet worden zodat het spoor op ware grote gereproduceerd kan worden voor een-op-een vergelijking. Latente sporen kunnen ook zichtbaar gemaakt worden met behulp van dezelfde optische, scheikundige en natuurkundige verbeteringsprocessen die eerder beschreven zijn. Bij het onderzoek van schoensporen worden een aantal belangrijke kenmerken gebruikt: het profiel, de ordening van de verschillende losse elementen waar de zool uit bestaat (lijnen, cirkels, vierkanten, logo's, etc.); de afmetingen van het profiel – het formaat van de losse elementen en van het hele patroon; productie-eigenschappen zoals oneffenheden in de matrijzen, bellen, en snijsporen; slijtage, waardoor er naarmate de schoen langer gedragen wordt geleidelijk steeds meer details uit het profiel verloren gaan; en specifieke schade – unieke en karakteristieke schade, zoals sneden die ontstaan zijn door gebruik of defecten die het gevolg zijn van het productieproces.

Al deze punten kunnen los of in combinatie met elkaar gebruikt worden om sporen te onderzoeken. Hiervoor moet gewoonlijk een testafdruk van het profiel gemaakt worden. Figuur 15 toont de vergelijking tussen een onbekend spoor en een bekende schoenafdruk. Hoe vollediger het achtergebleven profiel is en hoe scherper het afgetekend is, des te meer informatie er beschikbaar is om een verband vast te stellen of iets uit te sluiten. Tijdens het vergelijkingsproces

15. *Vergelijking van schoensporen. Dit toont de overeenkomsten tussen een onbekend spoor en een schoenafdruk.*

moet er rekening gehouden worden met kenmerken die niet overeenkomen. Verschillen waar geen redelijke verklaring voor is, moeten zorgen dat de onderzoeker concludeert dat de schoen het spoor niet achtergelaten kan hebben. Een verschillend profiel sluit de schoen automatisch uit en als de profielen opvallend van elkaar verschillen kan dit heel snel vastgesteld worden.

Het profiel is niet het enige wat bepaalt hoe een spoor eruitziet; andere aspecten van de manier waarop het gemaakt is hebben ook invloed. Hoeveel druk er op het profiel uitge-oefend is en hoeveel degene die het spoor achtergelaten heeft bewogen heeft kunnen het patroon bijvoorbeeld verstoren (net als bij vingerafdrukken). Onstabiele oppervlakken als aarde of zand kunnen de kwaliteit van het spoor ook aantasten.

Tabel 11: Typische patroonfrequentiedistributie van schoensporen van een politiemacht in het Verenigd Koninkrijk

Merk	Type	% spoor/schoen
Nike	Max Ltd	10
Nike	Max 95	8
Adidas	Campus	3
Reebok	Classic 1	3
Nike	Max 90	3
Nike	Court Tradition	2
Nike	Tuned 8	1,5
Lacoste	Camden	1,5
Divers	Rimpel	1,5
Adidas	Country	1,5
Nike	Max Classic	1,5
Andere patronen		Minder dan 1%

Schoenendatabases

Databases met informatie over schoenen worden al jaren gebruikt. Deze databases hebben twee belangrijke doelen: verbanden leggen tussen verschillende plaatsen delict, en tussen schoenen van overtreders en sporen van plaatsen delict. Het uitgangspunt van de database is dat specifieke profielen bij bepaalde merken en typen schoenen horen. De database vertelt je niet of een specifieke schoen het spoor achtergelaten heeft, maar welk type schoen het spoor gemaakt zou kunnen hebben. Het spoor zou bijvoorbeeld bij een bepaald merk sportschoenen kunnen horen. Deze informatie kan de politie naar een verdachte leiden die dergelijke schoenen bezit, of ervoor zorgen dat de huizen van verdachten doorzocht worden. Wanneer de schoen in beslag is genomen, doet een sporenonderzoeker een volledige vergelijking om vast te stellen of deze schoen het spoor achtergelaten zou kunnen hebben. Alle informatie moet in context bekeken worden.

Als op twee plaatsen delict sporen van hetzelfde schoentype worden gevonden, betekent dat niet per se dat er een verband is – het kan ook zijn dat deze schoen veel gedragen wordt. De databases kunnen ook helpen bepalen hoe vaak bepaalde schoentypes voorkomen, waardoor het makkelijker wordt in te schatten of overeenkomsten relevant zijn en hoeveel bewijskracht de overeenkomst heeft. Tabel 11 toont de typische frequenties waarin een aantal verschillende soorten schoenen in het Verenigd Koninkrijk voorkomen. Zelfs de meest voorkomende schoen wordt slechts in 10% van de zaken gevonden.

Sporen evalueren

In hoofdstuk 5 hebben we verschillende methoden bekeken om de relevantie van DNA-bewijsmateriaal te evalueren; methoden die allemaal een statistische benadering gebruiken. Hiermee volgt DNA-bewijs het wetenschappelijke principe dat al dergelijke oordelen een mate van onzekerheid bevatten, ongeacht hoe klein, en het gebruik van statistiek zorgt dat hier rekening mee wordt gehouden. Dit staat bekend als de waarschijnlijkheidsgraad. Uit het bovenstaande zal duidelijk zijn dat deze benadering niet gebruikt wordt voor sporen of vingerafdrukken, waar onderzoekers categorische (zekere) oordelen uitspreken over identiteit. Deze benadering heeft tot behoorlijk wat kritiek geleid, zowel van buitenaf als vanuit de forensische gemeenschap zelf.

Dit debat heeft drie belangrijke onderdelen: geldigheid (is het gebruik van categorische oordelen voor enig soort bewijsmateriaal te rechtvaardigen?); haalbaarheid (kunnen er probabilistische methodieken ontwikkeld worden voor soorten bewijsmateriaal waar traditioneel categorische methodieken voor gebruikt worden?); en noodzaak (is het nodig om probabilistische methodieken te gebruiken als die beschikbaar zouden zijn?).

Het wordt steeds duidelijker dat sporen en vingerafdrukken binnen afzienbare tijd onderworpen kunnen worden aan probabilistische modellen en beslissingen. De vraag 'is het haalbaar' is voor een groot deel een dwaalspoor. Het huidige onderzoek naar vingerafdrukken is ver gevorderd, en ik voorzie dat probabilistische modellen in Nederland over een paar jaar in de rechtbank gebruikt zal worden. Daarmee blijven alleen de kwesties van geldigheid en noodzaak over. Hierin zijn ruwweg drie denkrichtingen te onderscheiden: universalisten, pragmatisten en traditionalisten. Universalisten staan op het standpunt dat al het bewijsmateriaal geëvalueerd moet worden met probabilistische middelen en dat dit de enige rationele manier is om de zaak te benaderen. Traditionalisten beschouwen categorische meting als geldig, verzetten zich tegen probabilistische modellen en zijn vaak niet op de hoogten van de methodieken die gebruikt kunnen worden bij probabilistische metingen. Pragmatisten gaan ervan uit dat weinig beroepen kunnen beweren dat ze universele standaarden hebben en dat er zo'n grote variatie is tussen rechtssystemen dat probabilistische meting weliswaar gewenst is, maar niet voor iedere zaak nodig is.

Voorkeur voor bevestiging

Een ander actueel debat in de forensische wetenschap is 'voorkeur voor bevestiging' (*confirmation bias*), en dat zal zo blijven tot er een oplossing gevonden is voor de aan de orde gestelde problemen. Het heeft vooral veel aandacht getrokken in verband met vingerafdrukken, maar het is relevant voor andere gebieden van forensische wetenschap, en vooral voor sporen. Het is algemeen bekend dat iemands verwachtingen zijn waarnemingen en oordeel kunnen beïnvloeden. Wanneer je 's nachts naar de sterren kijken en een sterrenbeeld zoekt, zoek je naar een patroon dat je verwacht te vinden. Er is geen patroon – je plaatst het patroon over willekeurig verspreide sterren. Je zult het patroon dat je verwacht te zien niet alleen vinden, je zult ook moeite hebben dingen te zien die niet in dat patroon passen, en misschien zie je die helemaal niet.

Daarom is het zo belangrijk dat een spoor eerst onderzocht wordt, en dan pas de afdruk.

In de forensische wetenschap worden zaken niet onderzocht ineen vacuüm; de onderzoeker heeft een bepaalde hoeveelheid informatie nodig om een algemene indruk van de zaak te krijgen. Waar en wanneer vonden de gebeurtenissen plaats, wie zijn de slachtoffers en de verdachten, welke andere informatie is er al bekend? De laatste informatie zorgt misschien nog voor de meeste problemen. De informatie dient om de onderzoeker in staat te stellen zijn onderzoek efficiënt en effectief uit te voeren; zo kan hij rekening houden met de omstandigheden rond de zaak, en de behoeften en prioriteiten van het onderzoek vaststellen. Maar hierdoor ontstaan twee problemen. Ten eerste kan sommige van deze informatie verwachtingen wekken, en hier moet zorgvuldig mee omgegaan worden. Ten tweede wordt er met de relevante informatie ook veel irrelevante informatie meegestuurd, die tot vooroordelen kan leiden. Een theoretisch voorbeeld: in een onderzoek naar een moordzaak waar op de plaats delict schoensporen in bloed zijn gevonden, wordt een schoen ingediend voor onderzoek. De schoen zal door twee wetenschappers onderzocht moeten worden, een die verantwoordelijk is voor het bloed en het DNA-profiel en een die de sporen vergelijkt. Het feit dat de wetenschapper die het DNA-onderzoek doet concludeert dat het DNA-profiel op de schoen van de verdachte overeenkomt met dat van het slachtoffer, is volkomen irrelevant voor het onderzoek van de sporen in het bloed. Als de sporenonderzoeker de uitkomst van het DNA-onderzoek van tevoren kent, kan dit verwachtingen wekken (dat de sporen overeen zullen komen omdat het DNA overeenkomt) die de uitkomst van haar onderzoek beïnvloeden. Deze effecten bestaan ongetwijfeld; in de wetenschappelijke literatuur van andere gebieden dan de forensische wetenschap worden ze al jaren uitvoerig gerapporteerd. Wat vaak verkeerd begrepen wordt, vooral door vingerafdrukexperts, is dat de vraag niet is of dergelijke effecten bestaan of niet (ze bestaan), maar of er methoden zijn waarmee ze 'onder controle' gehouden kunnen worden. Dat we weten dat deze effecten bestaan is een van de triomfen van de wetenschappelijke methode, en het kan helpen deze vooroordelen en vooropgezette meningen te voorkomen. Het laatste kan bereikt worden door geschikte wetenschappelijke methodieken te gebruiken, informatie en de logica achter beslissingen zorgvuldig en gedetailleerd vast te leggen.

Maar er bestaan veel onenigheid over hoe belangrijk dergelijke fenomenen zijn, en hoe groot hun invloed is. Komen dergelijke effecten voor bij vingerafdrukken – is het waarschijnlijk dat de achtergrond van een zaak de uitkomst van een vergelijking beïnvloedt? Sommigen zeggen van wel, en citeren een baanbrekende studie van Itiel Dror uit 2006. Die legde dezelfde sets overeenkomende vingersporen en -afdrukken meerdere keren voor aan dezelfde onderzoekers (zonder dat die daarvan wisten), en kon zo aantonen dat de meeste experts inconsistente beslissingen namen. Maar een van de vijf betrokken experts nam beide keren dezelfde beslissing. Drie van de vier andere expert sloten de afdruk die volgens hen eerder overeenkwam uit, en de vierde besloot dat het spoor onbepaald was. Dit zijn vernietigende conclusies die de normen van vingerafdrukexperts en hun methoden fundamenteel in twijfel trekken, maar ze komen min of meer overeen met wat een psycholoog van menselijk gedrag zou verwachten. De vraag is: wat betekent deze studie voor de forensische praktijk. Er zijn twee vervolgstudies uitgevoerd, een voor vingerafdrukken en een voor schoensporen, en geen van beide ontdekte *observer bias* of *context bias* (zoals ze genoemd worden).

We hebben sporen en bewijsmateriaal van indrukken bekeken, waarbij we ons speciaal geconcentreerd hebben op schoensporen en vingerafdrukken, en hebben uitgelegd waarom deze zo'n cruciale rol spelen in het misdaadonderzoek. Het sporen- en afdrukkenbewijsmateriaal bevindt zich in zekere zin op een keerpunt vanwege de kritiek op sommige van de gebruikte methodieken en de gevaren die deze op kunnen leveren. We zullen op dit terrein waarschijnlijk belangrijke veranderingen in procedures zien, waarvoor grootschalige veranderingen in werkvoorschriften en training van de betrokkenen nodig zal zijn. Dit is nodig als het gelijke tred wil houden met ontwikkelingen op andere gebieden in forensische wetenschap en zijn essentiële bijdrage aan het onderzoek en de vervolging van misdaad wil behouden.

7.   Microsporenbewijsmateriaal

In veel opzichten is microsporenbewijsmateriaal de perso-
nificatie van forensische wetenschap. Het idee dat minuscule materiaalfragmenten, onzichtbaar voor het blote oog en
daarom onopgemerkt door de betrokkenen, gebruikt kunnen
worden om misdaad te onderzoeken is een fantastisch idee dat
niet alleen van praktisch nut is maar ook tot de verbeelding
spreekt. Forensische wetenschappers onderzoeken vezels,
haren, verf, glas en restanten van explosieven die gevonden
worden in een groot aantal verschillende misdaden, van
inbraak tot terrorisme. De karakteristieke eigenschappen van
microsporenbewijsmateriaal zijn het microscopische formaat
of de minuscule hoeveelheid (vandaar de 'onzichtbaarheid'),
hoe gemakkelijk het van het ene op het andere voorwerp wordt
overgedragen, en dat het na die overdracht weer snel van het
voorwerp verdwijnt. We zullen veel aandacht besteden aan
de problemen die het gevolg zijn van deze eigenschappen,
en die we tegenkomen bij het onderzoek, de analyse en de
interpretatie van microsporenbewijsmateriaal. Vanwege de
minuscule hoeveelheden waar het om gaat zijn er specialistische technieken nodig om het bewijsmateriaal veilig te stellen
en te analyseren, en moeten er strikte voorzorgsmaatregelen
om besmetting op plaatsen delict en in het laboratorium te
voorkomen. Dit hoofdstuk beschrijft wat de meeste forensische
wetenschappers 'contact-microsporenbewijs' noemen. We
zullen de principes die de grondslag vormen van onderzoek
van microsporenbewijsmateriaal bekijken, een aantal van
de wetenschappelijke technieken die gebruikt worden, hoe
de relevantie van het bewijsmateriaal vastgesteld wordt, en
het belang van microsporenbewijsmateriaal in politieonderzoeken.

Microsporenbewijsmateriaal kan afkomstig zijn van een
overweldigend aantal verschillende bronnen, zowel natuurlijk

als synthetisch. We zullen ons hier voor het grootste deel beperken tot vezels, verf en glas omdat dit de meest voorkomende soorten microsporenbewijsmateriaal zijn, hoewel we ook kort andere typen zullen bespreken. De definiërende eigenschap van microsporenbewijsmateriaal is het kleine formaat. Er is geen vaste grootte waarop voorwerpen in microsporenbewijsmateriaal veranderen. De grotere fragmenten, zoals losse vezels en sommige verf- en glasfragmenten, zijn vaak met het blote oog te zien, hoewel het niet effectief is om zonder hulpmiddelen naar dergelijke fragmenten te zoeken. De reden waarom deze fragmenten zo klein zijn, hangt af van het soort bewijsmateriaal. Bij glas komt het doordat het tijdens het plegen van het misdrijf tot scherven is versplinterd. Synthetische vezels (die erg lang kunnen zijn) kunnen gefragmentariseerd raken, terwijl losse natuurlijke vezels zoals wol of katoen al erg klein zijn. Het volgende belangrijke kenmerk van microsporenbewijsmateriaal is dat het gemakkelijk en vaak al snel verloren gaat – bijna net zo makkelijk als het overgedragen is. Hoe lang het materiaal op zijn plaats blijft, wordt gewoonlijk de 'vasthoudendheid' genoemd. De twee verbonden begrippen overdracht en vasthoudendheid zijn onmisbaar om te begrijpen wat microsporenbewijsmateriaal is (zoals we in hoofdstuk 1 al vastgesteld hebben).

Vezels

We worden omringd door textiel; in onze huizen, auto's en kantoren, in de vorm van kleren, bekleding en allerlei soorten weefsels. De meeste stoffen worden op industriële schaal uit natuurlijke of synthetische vezels geproduceerd. Uit ons dagelijks leven weten we dat vezels makkelijk van het ene op het andere voorwerp overgedragen worden – lichtgekleurde vezels zijn duidelijk zichtbaar op donkere kleding. Wanneer een vezel van het ene voorwerp op een ander wordt aangetroffen, zijn daar twee fenomenen – overdracht en vasthoudendheid – bij betrokken. Bij het misdaadonderzoek kunnen vezels gebruikt worden om een verband te leggen tussen verschillende personen of tussen personen en plaatsen delict, voertuigen, of voorwerpen die bij een misdrijf betrokken waren. Bijvoorbeeld, een verband tussen een persoon en een specifieke zetel in een voertuig, een bivakmuts die gebruikt werd bij een roofoverval, of de kleren van het slachtoffer van een aanval. We treffen ook vezels aan op wapens zoals messen of pistolen, en op voertuigen in vluchtmisdrijven. Hierbij moeten we een belangrijk onderscheid maken tussen het aangetroffen bewijsmateriaal (de vezels) en de conclusies die we daar uit kunnen trekken. Strikt gesproken leggen we geen verbanden tussen personen of plaatsen delict maar tussen kleding, voorwerpen, of textiel, en de relevantie van iedere vondst zal afhangen van de specifieke omstandigheden van de zaak. Maar onderzoek van vezels geeft ons de kans om veel onderzoekshypotheses te testen, en hiervoor is het waardevol.

Het veiligstellen en onderzoeken van vezels is een arbeidsintensief en nauwkeurig proces dat zelden definitief bewijsmateriaal oplevert, en het kan het onderzoek van andere soorten bewijsmateriaal die mogelijk meer opleveren vertragen. In een moordzaak waar bloed gevloeid heeft, levert dat bloed waarschijnlijk sterker bewijsmateriaal op omdat het via DNA-profilering met grote betrouwbaarheid toegeschreven kan worden aan zijn bron. Bij dergelijke zaken kunnen vezels verzameld worden (wat op zichzelf al veel tijd kost), maar ze zullen waarschijnlijk niet onderzocht worden. In zaken waarin al bekend is dat de betrokken partijen contact met elkaar hadden, of wanneer een eerdere ontmoeting de aanwezigheid van aangetroffen vezels zouden kunnen verklaren, worden de vezels niet onderzocht. Dit komt veel voor wanneer de betrokken personen familie van elkaar zijn, een huis of een werkplaats delen, of wanneer ze voor het incident contact hadden, bijvoorbeeld in een café of een club. Over het algemeen kunnen we alleen commentaar geven op vezels als bewijsmateriaal als er vezels gevonden zijn. In zeldzame gevallen is het mogelijk om conclusies te trekken uit de afwezigheid van vezels, maar omdat daar zo veel niet-aantoonbare factoren bij betrokken zijn, is dat niet eenvoudig. Voor een wetenschapper aan haar onderzoek begint, heeft ze veel informatie nodig om in te schatten hoe waarschijnlijk het is dat ze vezels zal vinden en wat hun mogelijke waarde voor het onderzoek zal zijn. Hierbij stelt ze de volgende vragen: hoe waarschijnlijk is het dat er vezels overgedragen zijn die we waarschijnlijk veilig kunnen stellen en die waardevol bewijsmateriaal op zouden kunnen leveren? Strikt gesproken kan deze vraag alleen beantwoord worden door het onderzoek uit te voeren, maar in de meeste gevallen kunnen er – gebaseerd op kennis, ervaring en de specifieke details van de zaak – redelijke voorspellingen over de uitkomst gedaan worden. Tabel 12 geeft een overzicht van de factoren waar bij dit proces rekening mee gehouden wordt.

Tabel 12: De mogelijke waarde van een onderzoek naar vezels bepalen

Is de integriteit van de voorwerpen zeker?	Zijn er problemen met besmetting? Zijn de voorwerpen op de juiste manier veiliggesteld, verpakt en verzegeld?
Verliest het donorvoorwerp vezels?	Wollige oppervlakken verliezen sneller vezels dan gladde voorwerpen. Natuurlijke vezels laten in de regel sneller los dan synthetische vezels.
Houdt het ontvangende voorwerp vezels vast?	Erg gladde oppervlakken raken vezels sneller kwijt dan ruwe of wollige oppervlakken.
Is er voldoende contact geweest om vezels over te dragen?	Hoe langer er contact is geweest, hoe groter het contactgebied was, en hoe meer druk er uitgeoefend is, hoe waarschijnlijker het is dat er overdracht heeft plaatsgevonden.

Is het ontvangende voorwerp op tijd teruggevonden om het verlies van overgedragen vezels te minimaliseren?	De meeste vezels gaan na overdracht al snel verloren, zeker wanneer ze op de kleding van iemand die in beweging is zijn terechtgekomen. Vezels op onbeweeglijke voorwerpen, zoals autozetels, zullen veel langer op hun plaats blijven.
Kunnen de vezels veiliggesteld worden?	Om zichtbaar te zijn onder een zwakke microscoop moeten de vezels voldoende kleur hebben en moet er genoeg contrast zijn met het 'ontvangende voorwerp'. Het kan onmogelijk zijn om blauwe vezels van het ene kledingstuk op het andere blauwe kledingstuk te vinden, zelfs als ze er wel zijn.
Is het waarschijnlijk dat de vezels relevant bewijsmateriaal opleveren?	Sommige vezels komen zo vaak voor dat ze waarschijnlijk op de meeste voorwerpen gevonden, en daardoor weinig betekenen. Voorbeelden hiervan zijn zwart katoen en katoen van spijker-broeken.

Als de voorwerpen eenmaal behandeld zijn met tape, wordt de tape onderzocht op een 'doelvezel'. Bij een typisch kledingonderzoek zal dit een enkel soort vezel (kleding bevat vaak meerdere soorten vezels) van één voorwerp zijn, die als hij aanwezig is waarschijnlijk gevonden zal worden en die mogelijk relevant kan zijn als bewijsmateriaal. Dit betekent gewoonlijk dat er een vezel wordt gekozen met een herkenbare kleur die te onderscheiden is van de ondergrond. Dan wordt de tape systematisch onderzocht op vezels die op de doelvezel lijken, en als ze gevonden worden, worden ze verwijderd en ieder afzonderlijk op microscoopglaasjes geplaatst. Dit kan veel tijd kosten, en kan lijken op een zoektocht naar de spreekwoordelijke naald in een hooiberg. Vervolgens wordt iedere vezel onder een sterke vergelijkingsmicroscoop vergeleken.

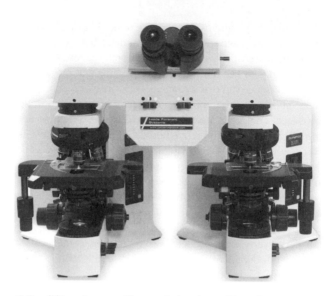

16. Vergelijkingsmicroscoop. Hiermee zijn de veiliggestelde vezel en het controlemonster tegelijkertijd onder dezelfde belichting te onderzoeken.

Deze microscoop (zie figuur 16) zorgt dat de veiliggestelde vezel en het controlemonster tegelijkertijd en onder dezelfde belichting onderzocht kunnen worden.

Veel van de veiliggestelde vezels zullen niet overeenkomen en afgekeurd worden, omdat deze eerste fase een vrij grof proces is. De kenmerken waar tijdens het vergelijkingsproces op gecontroleerd wordt zijn onder meer de kleur, het soort vezel, en de vorm van de dwarsdoorsnede van de vezel. Vezels die overeenkomen gaan door naar de volgende fase voor een meer gedetailleerde analyse, waarbij ze onder andere gemeten en op kleur vergeleken worden, en waar voor synthetische vezels de aanwezige polymeren geanalyseerd worden. De meeste natuurlijke vezels kunnen onder een microscoop geïdentificeerd worden. De kleur van de vezel wordt geanalyseerd en vergeleken via microspectrofotometrie. Een microspectrofotometer is een specialistische microscoop waar een spectrofotometer in ingebouwd zit. Deze meet het kleurenspectrum van de vezel (geïllustreerd in figuur 17) en zorgt voor een objectievere vergelijking dan mogelijk is met een normale sterke microscoop. Dit proces is al erg precies, maar laboratoria analyseren vaak ook de kleurstoffen in de losse vezels, die soms maar een paar millimeter lang zijn, met dunnelaagchromatografie (zie hoofdstuk 8 voor meer details over deze techniek). Wereldwijd worden er meer dan zevenduizend verschillende verfstoffen geproduceerd, en deze worden in vele combinaties gebruikt. Dunnelaagchromatografie kan onderscheid maken tussen vezels die met andere tests – zoals de vergelijkingsmicroscoop en microspectrofotometrie – niet uit elkaar te houden zijn. Met de test kunnen losse bestanddelen van de verf van elkaar gescheiden en vergeleken worden, en als er voldoende details verkregen zijn, kan dit een verband leggen met een specifieke partij verf.

Wol, katoen en veel andere plantaardige vezels kunnen eenvoudig geïdentificeerd worden met behulp van een microscoop, maar synthetische vezels moeten scheikundig geanalyseerd worden om hun type te bevestigen. De methode die forensische laboratoria het meest gebruiken is Fourier-transformatie-infraroodspectroscopie. Infraroodspectroscopie kan gebruikt worden om stoffen te identificeren op basis van hun moleculaire vibraties. Verschillende moleculaire groepen absorberen infrarood licht van specifieke golflengtes, waardoor een spectrum ontstaat dat gebruikt kan worden om het soort polymeer te identificeren. Bij Fourier-transformatie-infraroodspectroscopie wordt een wiskundig proces (Fourier-transformatie) gebruikt waardoor de informatie snel verzameld en geanalyseerd kan worden. Via deze analyse kan de wetenschapper het type vezel identificeren, en aan de hand van andere aanwezige polymeren ook het subtype vezel.

Alle betrokken voorwerpen die er geschikt voor zijn moeten bovenstaande processen doorlopen, en het resultaat kan

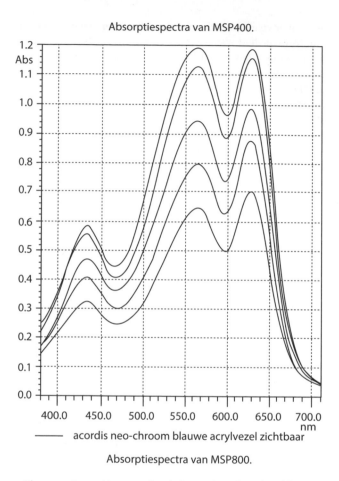

Absorptiespectra van MSP400.

— acordis neo-chroom blauwe acrylvezel zichtbaar

Absorptiespectra van MSP800.

17. Kleurenspectra van blauwe acrylvezels. Door onderzoek van dergelijke spectra kan vastgesteld worden of losse veiliggestelde vezels overeenkomen of uitgesloten kunnen worden als ze vergeleken worden met een controlemonster van een kledingstuk.

zijn dat er vele duizenden vezels veiliggesteld en onderzocht moeten worden, wat weken kan duren. De laatste fase is de interpretatie van het bewijsmateriaal. De belangrijkste factoren waar hierbij rekening gehouden wordt – naast de precieze vondsten en specifieke context van de zaak – staan in tabel 13.

Tabel 13: Evaluatie van de waarde van vezelbewijsmateriaal. Factoren waar rekening mee wordt gehouden bij het vaststellen van de waarde van veiliggestelde overeenkomende vezels

Aantal vezels	Hoe meer overeenkomende vezels er gevonden zijn, hoe zekerder we ervan kunnen zijn dat er direct contact is geweest. Erg kleine hoeveelheden vezels kunnen het gevolg zijn van indirect contact met een niet te identificeren bron.
Soorten en proporties van aangetroffen vezels	Hoe meer verschillende soorten vezels er gevonden worden en hoe meer ze overeenkomen met de proporties waarin een voorwerp vezels verliest, hoe zekerder we weten dat ze van een gemeenschappelijke bron komen.
Kleur en verfsoort	In verschillende soorten vezels worden verschillende soorten chemicaliën voor de verf gebruikt. Hoe ongewoner de combinatie van kleuren en verfstoffen is, hoe sterker de overeenkomst als bewijsmateriaal is.
Kwaliteit van de analyse	Sommige tests zijn preciezer dan andere. Een bijzonder precieze test zal de waarde van de overeenkomende vezels vergroten. Het omgekeerde geldt voor een test die weinig precies is.
Hoe gewoon zijn de vezels	Je kunt verwachten dat een veel voorkomende vezel toeval kan zijn, en niets te maken heeft met de zaak. Hoe ongewoner een vezel is, hoe zekerder je kan zijn dat hij daar gekomen is via directe overdracht.

Verf

Verf is een complex materiaal dat uit een groot aantal verschillende bestanddelen kan bestaan, maar het bevat meestal een gekleurd pigment dat gesuspendeerd is in een oplosmiddel, met andere chemische toevoegingen. Het oplosmiddel houdt de verf vloeibaar tot het aangebracht wordt en het pigment zorgt voor de kleur. Toevoegingen kunnen chemicaliën zijn die helpen bij een bepaalde manier van aanbrengen, zoals spuiten, maar deze verdampen samen met het oplosmiddel als de verf is aangebracht. Een chemisch middel in de verf – het bindmiddel – houdt de verf bijeen en vormt na het drogen een harde deklaag op het oppervlak. Pigmenten, bindmiddelen en andere toevoegingen worden ontleend aan heel veel verschillende bronnen – natuurlijk, synthetisch, organisch of anorganisch – wat leidt tot een enorme variatie aan soorten en kleuren verf. In de forensische wetenschap komen we voornamelijk twee typen verf tegen: verf die in of om het huis of op commerciële locaties ter decoratie gebruikt wordt (architecturale verf), en verf die voor voertuigen wordt gebruikt. Decoratieve verf zien we meestal bij inbraken, en verf voor motorvoertuigen meestal bij vluchtmisdrijven of botsingen. Deze twee soorten verf zijn heel verschillend van samenstelling, wat terug te zien is in de verschillende analysemethodes en de interpretatie van het bewijsmateriaal.

Als een inbreker een stuk gereedschap, zoals een schroevendraaier of een koevoet, gebruikt om een geverfd raam of deur open te breken, zal het gereedschap sporen achterlaten op het oppervlak, en er zal waarschijnlijk ook verf op het gereedschap overgedragen worden. Hoeveel verf er wordt overgedragen hangt af van een aantal factoren, waaronder de kracht die gebruikt is, het soort oppervlak (metaal of hout), de conditie van de verf, en het soort verf dat gebruikt is. Omdat deuren en ramen regelmatig opnieuw geverfd worden, is er vaak meer dan een laag verf. Inbrekers kunnen ook meerdere pogingen gedaan hebben om toegang te krijgen, op plaatsen waar de verf een andere kleur had of in een andere conditie was. Het is belangrijk dat het controlemonster van de verf van de plaats delict representatief is voor alle soorten verf die aanwezig zijn, en alle kleuren en lagen bevat. Een samenvatting van de stappen in het onderzoek van een typisch verfmonster is te zien in tabel 14.

Tabel 14. Verfonderzoek bij een inbraak. Deze tabel beschrijft de belangrijkste fasen in het verfonderzoek

Controlemonster	Inspecteer het controlemonster om de kleur en conditie van de verf vast te stellen, zonder het uit de verpakking te halen (om besmetting te voorkomen).
Veiliggesteld voorwerp	Onderzoek het met het blote oog en onder een zwakke microscoop en verwijder één voor één alle verfdeeltjes die op het controlemonster lijken.
Vergelijking	Onderzoek veiliggestelde fragmenten samen met het controlemonster met behulp van een sterke vergelijkingsmicroscoop onder wit, ultraviolet en gepolariseerd licht. Hou rekening met de kleuren, de dikte en de volgorde van aanwezige laagjes, en als het korrelvormig is het soort pigment.
Analyse	Er kan een groot aantal verschillende analysetechnieken gebruikt worden om de verschillende onderdelen van de verf te bestuderen, waaronder microspectrofotometrie (kleur), Fourier-transformatie-infraroodspectroscopie (bindmiddelen, pigmenten, toevoegingen) en röntgenspectroscopie (losse elementen zoals metalen).

Als een wetenschapper de relevantie van een overeenkomende verf evalueert, zal hij dat op ongeveer dezelfde manier
benaderen als bij vezels gedaan wordt, maar de details zullen verschillen. Kort samengevat, het bewijsmateriaal heeft
meer waarde naarmate de overeenkomst nauwer is en de verf
zeldzamer is. De wetenschapper zal bij zijn oordeel rekening
houden met hoeveel verschillende en welke soorten verf er
aanwezig zijn, het aantal, de kleur, en de volgorde van overeenkomende lagen, en de relevantie van enige andere analyse die
tijdens het onderzoek gedaan is. Voor hij een definitief oordeel
geeft, moet hij ten slotte rekening houden met de specifieke
omstandigheden van de zaak.

Glas

Glas is een brosse, harde, transparante, amorfe vaste stof.
Het glas dat we in ons dagelijks leven het meest gebruiken is
sodaglas, een soort calciumsilicaat. Er bestaan andere soorten glas, die geproduceerd worden vanwege hun bijzondere
eigenschappen, bijvoorbeeld hittebestendigheid (zoals *pyrex*),
of waar elementen (zoals boor) aan toegevoegd zijn. Het
meeste glas dat in een forensisch laboratorium terecht komt
is afkomstig van ramen van woon- of bedrijfspanden, flessen
en andere containers, zoals drinkglazen. Het meeste glas voor
alledaags gebruik wordt gemaakt via een proces waarbij het
op een bed van gesmolten tin drijft. Hierdoor krijgt het glas
een erg glad oppervlak waar sporen van tin op achterblijven.
Dit soort glas heeft een vrij standaard samenstelling en
scheikundige analyse is daarom van beperkte waarde. Een
andere soort glas dat we vaak tegenkomen is afkomstig van
voertuigen. Bij vluchtmisdrijven kunnen glasfragmenten
van koplampen die op de plaats delict gevonden zijn weer in
elkaar gezet worden, en soms kan hiermee het soort voertuig
geïdentificeerd worden. Glas van de ramen van het voertuig
zal gehard zijn, daarom breekt het in de karakteristieke kleine
brokjes.

Als een inbreker een raam breekt, zal een deel van de glasfragmenten achteruitspringen en kunnen ze in zijn kleren terechtkomen. Glasfragmenten kunnen tot drie meter ver springen en teruggevonden worden in het haar en de kleding van personen die op dat moment in de buurt waren. Hoeveel fragmenten er overgedragen en behouden worden, en het formaat ervan, zal afhangen van de specifieke omstandigheden van de zaak. Kleinere fragmenten (kleiner dan 0,5 millimeter) worden het gemakkelijkst overgedragen en zullen het langst achterblijven, maar grotere fragmenten zullen snel verloren gaan. Kleding van stof met een glad oppervlak, zoals een katoenen hemd, zal fragmenten sneller verliezen dan een gebreid kledingstuk, zoals een wollen trui. Ongeacht hoeveel fragmenten er overgedragen zijn, ze zullen snel verloren gaan en na 24 uur zijn ze waarschijnlijk volledig verdwenen.

Onderzoek naar glas begint met een inspectie van de kleding, met het blote oog en onder een zwakke microscoop. Hoewel de fragmenten erg klein zijn, kunnen ze dankzij hun reflecterende eigenschappen vaak met het blote oog gezien worden. Ieder gevonden deeltje wordt verwijderd en opgeborgen voor het voorwerp verder wordt onderzocht. Om er zeker van te zijn dat alle fragmenten veiliggesteld zijn, wordt het kledingstuk boven een grote, schone, roestvrij stalen trechter gehangen en stevig en systematisch geborsteld met een kleine borstel met stijve haren. Dit schudt alle overgebleven glasdeeltjes los, die dan door de trechter vallen om in een klein petrischaaltje dat eronder geplaatst is te belanden. Onderzoek van de fragmenten onder een zwakke microscoop en met een techniek die interferometrie heet, kan uitwijzen of ze een plat oppervlak hebben en waarschijnlijk afkomstig zijn van een raam, of een gebogen oppervlak en waarschijnlijk van een container (zoals een fles of een drinkglas) komen.

Analyse van glas begint onveranderlijk met het meten van zijn belangrijkste fysieke eigenschap – de brekingsindex.

Breking vindt plaats wanneer licht vanuit het ene medium (zoals lucht) in het andere (zoals glas) stroomt. Het licht wordt vertraagd en zijn pad verandert een klein beetje. De brekingsindex is een maatstaf van de snelheidsverhoudingen in ieder medium en verschilt voor verschillende soorten glas. Dit kan gemeten worden met een specialistische microscoop die materiaal kan verhitten en verbonden is aan een videosysteem. De glasfragmenten worden in een druppeltje siliciumolie gelegd, waarvan de brekingsindex verandert met de temperatuur. De microscoop verhit de olie langzaam, tot het fragment onzichtbaar wordt. Op dat punt komt de brekingsindex van het glas overeen met die van de olie. Op basis van de brekingsindex kan glas ingedeeld worden in groepen, waarvan sommige in tabel 15 te zien zijn. Aan de tabel kunnen we zien dat het resultaat niet definitief is en dat de brekingsindexen van verschillende soorten glas overlappen. Maar samen met de fysieke kenmerken van het glas kan het gebruikt worden om vast te stellen of glasfragmenten overeenkomen of uitgesloten kunnen worden. Glas bevat ook een groot aantal verschillende chemische elementen, zoals magnesium, aluminium, kalium en ijzer, die geanalyseerd kunnen worden met behulp van een aantal specialistische technieken. Niet al deze mineralen zijn relevant bij een vergelijking en de resultaten kunnen moeilijk te interpreteren zijn.

Tabel 15. Brekingsindexen van verschillende soorten glas die in Schotland voorkomen

Soort glas	Brekingsindex
Raam	1,5080–1,5390
Container	1,5120–1,5230
Koplamp	1,4740–1,4820
Autovoorruit	1,5130–1,5180

Tabel 16. Evaluatie van glasbewijsmateriaal. Factoren waar rekening mee gehouden wordt bij het bepalen van de waarde van veiliggestelde overeenkomende glasfragmenten

Waar is het glas gevonden?	Fragmenten die in haar gevonden worden zijn meer belastend dan fragmenten die op schoenen gevonden worden; die zouden daar via de grond terechtgekomen kunnen zijn.
Kwaliteit van de analyse	Fysieke kenmerken en de resultaten van analyse van de brekingsindex en eventuele andere analyses.
Hoeveel is er overgedragen?	Aantal teruggevonden fragmenten, en het formaat ervan.
Hoe vaak komt het glas voor?	Een database van glasfragmenten kan gebruikt worden om in te schatten hoe vaak het veiliggestelde glas in de onmiddellijke omgeving gebruikt wordt.
Details van de zaak	Specifieke omstandigheden, zoals de manier waarop het glas gebroken is, wanneer kleding in beslag genomen is, etc.

We hebben al verteld dat de meest voorkomende glassoorten een vergelijkbare samenstelling hebben. Hoe schat je dan de waarde in van overeenkomende fragmenten? Net als bij andere soorten microsporenbewijs moet je rekening houden met een aantal factoren. Deze zijn opgesomd in tabel 16.

We hebben de Bayesiaanse evaluatie al eerder genoemd, en glas is een goed voorbeeld van hoe deze benadering nuttiger en sterker bewijsmateriaal op kan leveren. Een manier om glasbewijsmateriaal te interpreteren is dat je stelt dat de glasfragmenten overeenkomen met de bron (het gebroken raam) en daarvan afkomstig zouden kunnen zijn. Het is vervolgens aan de rechtbank om dit in de context van de zaak te plaatsen – welke andere mogelijke verklaringen zijn er voor het feit dat er overeenkomend glas in iemands kleren is gevonden. Maar deze 'benadering op bronniveau' van een interpretatie houdt geen rekening met een aantal bijzonder belangrijke factoren. De eerste hiervan is dat we weten dat glasfragmenten niet vaak op kleren aangetroffen worden, en als er een behoorlijke hoeveelheid wordt gevonden, toont dat aan dat de persoon die die kleren draagt in de buurt is geweest van brekend glas. We kennen de omstandigheden van de zaak ook, en een ervaren wetenschapper kan een mening vormen over wat ze zou verwachten te vinden vergeleken met wat ze daadwerkelijk gevonden heeft. Dit kan meegewogen worden als we bekijken welke vermeende acties (of activiteiten) er plaatsgevonden moeten hebben als de persoon het misdrijf gepleegd heeft (dat wil zeggen, het raam heeft gebroken). Onder dergelijke omstandigheden kunnen we verwachten dat die persoon glasfragmenten in zijn kleren heeft. Bij iemand die niet in de buurt is geweest van brekend glas verwachten we niet dat hij opvallend veel glas in zijn kleren heeft. Met deze benadering kunnen we een mening geven over hoeveel waarschijnlijker (of onwaarschijnlijker) het zou zijn dat we dergelijk bewijsmateriaal aan zouden treffen als de verdachte de activiteit had uitgevoerd.

Microsporen zijn een gebied van forensische wetenschap dat bij het onderzoek naar veel verschillende soorten misdaad gebruikt kan worden. Er worden een groot aantal verschillende analyseprocedures bij gebruikt, en er is gedetailleerde kennis nodig over de aard van de specifieke sporen die erbij betrokken zijn. We hebben ons geconcentreerd op drie van de meest voorkomende soorten microsporenbewijsmateriaal – vezels, verf en glas – die veel van de kwesties die ermee gemoeid zijn toelichten. Voor de evaluatie van microsporen-bewijsmateriaal is kennis van en ervaring met het specifieke soort bewijsmateriaal en de gedetailleerde omstandigheden van de zaak nodig.

8.   Drugs: het identificeren van illegale stoffen

Drugs is een verzamelnaam voor geneesmiddelen en genotsmiddelen die het bewustzijn beïnvloeden. Dat wil zeggen dat ze je gevoel, stemming en denken kunnen veranderen. Drugs kunnen een verdovende, opwekkende en/of hallucinogene werking hebben. Los van hun medische toepassingen worden veel drugs uitsluitend recreatief of vanwege een verslaving genomen. Forensisch drugsonderzoek concentreert routinematig een groot deel van haar tijd op de laatste.

In de meeste landen is de productie, de handel en het bezit van drugs (en chemicaliën die nodig zijn voor de productie ervan) verboden. In Nederland is dat in 1919 vastgelegd in de Opiumwet. Deze is in 1976 voor het laatst gewijzigd. Sindsdien maken we onderscheid tussen harddrugs (lijst I, artikel 2 en 10) en softdrugs (lijst II, artikel 3 en 11). Ondanks het verbod worden veel drugs – in het bijzonder cannabis, heroïne, cocaïne en amfetamine – in bijna de hele wereld geconsumeerd. Drugs zijn vaak verboden omdat misbruik ervan met grote maatschappelijke schade geassocieerd wordt. Dergelijke beoordelingen zijn complex en hebben naast de wetenschappelijke en medische aspecten ook sociale, politieke, juridische (en soms religieuze) dimensies. Harddrugs worden in Nederland als drugs met onaanvaardbare risico's beschouwd, omdat zij voor grote psychische en sociale problemen kunnen zorgen en de kans op misbruik en verslaving groot is. De risico's van softdrugs (kalmerings- en slaapmiddelen en cannabis) worden aanvaardbaar geacht. Dat betekent niet dat ze niet schadelijk zijn. Wat je opvattingen over recreatief drugsgebruik ook zijn, het wereldwijde verbod op drugs zorgt voor heel veel menselijk leed. Schattingen van de grootte van de markt, die rond de 20-25 miljard dollar is (voor cocaïne, heroïne, cannabis en synthetische drugs), ofwel ongeveer even groot als de wereldhandel in koffie en thee, geven een idee van de omvang van de markt. De totale markt wordt op meer dan honderd miljard dollar geschat, maar slechts een klein aantal mensen verdient er groot geld aan.

Cannabis is wereldwijd de meest gebruikte drug. Het aantal gebruikers van heroïne en cocaïne neemt ook toe, hoewel het gebruik van heroïne in de meeste Westerse landen de afgelopen tien jaar is afgenomen. Als gevolg hiervan is forensisch drugsonderzoek een van de zaken waar laboratoria zich mee bezighouden. In sommige landen wordt ook gewerkt met drugtesten waarmee vastgesteld kan worden of iemand onder invloed van drugs achter het stuur zit. Hoewel in de meeste landen rechtbanken deze tests nog niet toelaten als bewijsmateriaal, zullen verbeteringen in de technologie en druk op strafrechtssystemen en politie waarschijnlijk voor geleidelijke verandering zorgen en zal het drugsbeleid van de verschillende landen meer overeenkomsten gaan vertonen. Beleid ter beperking van de schade, zoals in Nederland, wordt steeds algemener geaccepteerd en het beleid tegen dealers en smokkelaars is strenger geworden. Zoals in veel inherent complexe gebieden van het strafrecht is het moeilijk te bepalen wat het effect van beleid is omdat er te weinig informatie en research beschikbaar is. Ten slotte is ook de invloed van drugs op individuen een ingewikkelde zaak. Verslaving zelf is niet het enige wat schade aanricht en waar mensen risico door lopen – de manier van leven die het gevolg is van drugsgebruik kan ook een groot probleem zijn.

Drugsidentificatie

Bij het onderzoek naar drugsmisdrijven staat de identificatie van illegale stoffen centraal. Maar forensisch onderzoek houdt zich ook bezig met andere aspecten. Drugs worden met een groot aantal andere soorten misdaad geassocieerd. Geweld, het witwassen van geld, prostitutie en het gebruik van vuurwapens hebben vaak iets te maken met drugs, en veel misdrijven die om financiële redenen gepleegd worden, zoals inbraak en diefstal, zijn toe te schrijven aan mensen die proberen hun kostbare drugsverslaving te financieren. In veel drugsmisbruikzaken zou er zonder wetenschappelijk bewijsmateriaal geen vervolging mogelijk zijn. De wet kan niet uitgevoerd worden als de specifieke stof niet geïdentificeerd kan worden. Hoewel veel landen versnelde (*fast-track*) systemen kennen die gebruik maken van veldproeven (of oriënterende tests) om drugs te 'identificeren', laat de rechtbank dergelijke conclusies gewoonlijk alleen toe als bewijsmateriaal als de verdachte toegeeft dat hij de specifieke stof in zijn bezit had. Wanneer hij dit ontkent, of wanneer hij aangeklaagd wordt voor productie of distributie van drugs, is wetenschappelijke analyse die bewijst dat het in beslag genomen materiaal is wat het lijkt te zijn gewoonlijk verplicht. In veel gevallen zullen de conclusies van de wetenschapper bepalen voor welk misdrijf de verdachte aangeklaagd en berecht wordt, vooral als het gaat om het onderscheid tussen bezit (voor persoonlijk gebruik) en handel (smokkel). In het laatste geval kunnen onderzoekers van drugszaken ook andere gebieden van forensische wetenschap, zoals vingerafdrukken, DNA en fysieke aansluiting, inzetten om verbanden tussen losse monsters te onderzoeken en zo aan te tonen dat die een gezamenlijke bron hebben. Hiervoor kan ook drugsprofilering nodig zijn, analyse van verpakkingen van drugs, zoals huishoudfolie (plastic folie) of contact-DNA op de verpakking.

In dit hoofdstuk bekijken we de belangrijkste soorten drugs die beschikbaar zijn, de relevante wetgeving, en de principes van analyse, identificatie en kwantificatie. Zelfs in een boek dat veel diepgaander is zou het onmogelijk zijn om te beschrijven hoe alle relevante stoffen worden bereid of gesynthetiseerd, hoe ze worden geanalyseerd en geïdentificeerd en wat hun wettige status is. Daarom zal ik proberen de lezer een overzicht te geven van de reikwijdte en complexiteit van forensisch drugsonderzoek, en daarvoor cannabis, heroïne en amfetaminen als voorbeelden gebruiken.

Veel laboratoria voor forensische wetenschap besteden een groot deel van hun tijd aan de analyse van drugs. Er bestaat een bijzonder groot aantal verschillende methodes om drugs te analyseren en laboratoria gebruiken veel verschillende manieren om dezelfde drug te analyseren. We moeten benadrukken dat straatdrugs niet op hun legale, farmaceutische tegenhangers lijken. Illegale drugs worden klaargemaakt of gesynthetiseerd in schuurtjes, pakhuizen, open velden en caravans, vaak onder gevaarlijke omstandigheden en met ongestandaardiseerde methodes, ze zijn niet puur en bevatten mogelijk zelfs giftige stoffen. Voor de drugs op de markt gebracht worden, versnijden dealers ze met andere producten om meer te kunnen verkopen en de winst te vergroten (bijvoorbeeld producten die er hetzelfde uitzien of die de drug (letterlijk) zwaarder maken). Sommige van deze versnijdingsproducten zijn zelf drugs, bijvoorbeeld cafeïne of paracetamol, en worden met opzet gebruikt om klanten te bedriegen. De zuiverheid van straatdrugs varieert heel sterk en loopt uiteen van een paar procent tot bijna puur. De vorm van de drugs is ook heel verschillend: capsules, tabletten, poeders, hars, olie, plantaardig materiaal, enzovoort.

Ondanks dit is de analyse en identificatie van drugs in de meeste drugszaken in forensische termen relatief eenvoudig. De meeste illegale stoffen zijn snel en ondubbelzinnig te identificeren via een combinatie van visueel onderzoek, oriënterende tests en standaard analysemethodes. Bij drugsbezit is de interpretatie van de resultaten door de wetenschapper en de rechtbank eenvoudig: als een illegale stof geïdentificeerd is, hoe weinig er ook van aanwezig is, dan heeft de persoon die het materiaal in zijn bezit had de wet overtreden. Bij distributie of productie in illegale laboratoria kunnen de zaken ingewikkelder zijn. Als iemand een grote hoeveelheid drugs in zijn bezit blijkt te hebben, wordt hij waarschijnlijk aangeklaagd voor bezit en de bedoeling te dealen. In strikt juridische zin kan (in Nederland) op een feestje drugs uitdelen aan je vrienden al opgevat worden als dealen. Wanneer er 'professionele' criminelen bij de zaak betrokken zijn en er weinig of geen getuigen of materiaal van politietoezicht zijn, vertrouwen de rechtbanken op forensische wetenschap voor objectief bewijsmateriaal.

Wetgeving in Nederland

Net als in andere landen is het bezitten, produceren of verhandelen van drugs verboden in Nederland. Dat geldt zowel voor softdrugs als voor harddrugs. Bezit, handel, verkoop en productie van harddrugs is altijd verboden. Voor harddrugs gelden zwaardere straffen dan voor softdrugs. Voor bezit, handel of verkoop van harddrugs kun je een gevangenisstraf en/of een geldboete krijgen.

Het bezit van softdrugs is weliswaar strafbaar, maar in de praktijk worden kleine hoeveelheden voor persoonlijk gebruik toegestaan. Als je maximaal vijf gram cannabis (wiet, marihuana, hasj) of niet meer dan vijf hennepplanten bezit, dan neemt de politie de drugs en planten in beslag. Meestal vindt er geen strafvervolging plaats. Bezit van meer dan vijf gram cannabis of meer dan vijf hennepplanten, wordt wel vervolgd. Voor minderjarigen jonger dan 18 jaar geldt het gedoogbeleid niet. Voor hen is de aankoop en het bezit van softdrugs verboden. En hoewel de verkoop van softdrugs strafbaar is, wordt de verkoop van kleine hoeveelheden softdrugs in een coffeeshop onder bepaalde voorwaarden niet vervolgd. Dit noemen we het gedoogbeleid.

Het gebruik van drugs voor personen van achttien jaar en ouder is niet strafbaar. Om overlast te voorkomen, kunnen gemeenten in een Algemene Plaatselijke Verordening (APV) opnemen dat drugsgebruik in bepaalde gebieden wel strafbaar is. Als je op die plekken drugs gebruikt, kunt je aangehouden worden of een boete krijgen.

Tabel 17: Veelvoorkomende illegale drugs: hun uiterlijk, herkomst en effect (S, synthetisch; N, natuurlijk; SS, half-synthetisch, met andere woorden, gemodificeerd)

Drug	Straatnaam	Vorm	Her-komst	Effect
Amfetamine	speed, slurf, rapapa, spit	poeder, tablet	S	stimulerend
3,4-methy-leendioxy-methamfetamine (MDMA)	ecstasy, XTC	Tablet	S	hallucinogeen
Cannabis (Δ9 tetrahydrocan-nabinnol)	marihu-ana, hasj, hasjiesj, grass, ganja, haze, wiet, nederwiet skunk, stuff, dope, shit	divers – harsblok-ken, gedroogd plantaardig materiaal, of olie	N	mild hallucinogeen
Cocaïne	wit, snow, coke	Poeder	SS	stimulerend
Heroïne (diacetylmorfine)	bruin, smack, horse	Poeder	SS	kalmerend
Lyserginezuurdië-thylamide (LSD)	LSD, acid	Tablet	S	hallucinogeen

In 2000 is in Nederland het Coördinatiepunt Assessment en Monitoring nieuwe drugs (CAM) bij wet ingesteld. Het CAM heeft als taak om nieuwe drugs op de Nederlandse markt vroegtijdig te signaleren. Dit kunnen ook nieuwe combinaties, nieuwe toepassingen of veranderd gebruik van bestaande middelen zijn. Vervolgens zorgt het CAM ervoor dat deze drugs volgens vastgelegde procedures en criteria aan een multidisciplinaire risicobeoordeling worden onderworpen. Op basis hiervan adviseert het CAM de minister van Volksgezondheid, Welzijn en Sport (VWS) over toepasselijke maatregelen. Het CAM bestaat uit een coördinator en een secretariaat en wordt bijgestaan door een commissie waarin diverse deskundigen op het gebied van drugs zijn vertegenwoordigd. Het CAM is ondergebracht bij het RIVM (Rijksinstituut voor Volksgezondheid en Milieu).

Het CAM baseert haar oordeel op een complexe inschatting van het gevaar van de verschillende drugs, en bekijkt haar conclusies van tijd tot tijd opnieuw. Desondanks blijven deze oordelen controversieel. Over het algemeen bestaat er weinig verband tussen het drugsbeleid (en daardoor uiteindelijk de wet) en bewijsmateriaal of rationaliteit. Net als in andere landen wordt de wet in Nederland bijna uitsluitend geschreven vanuit politieke noodzaak. In welke categorie zou de alcohol bijvoorbeeld indelen als het een net ontdekte drug was, als je rekening houdt met alle sociale onrust en misdaad waar alcohol verband mee lijkt te houden? Tabel 17 geeft meer informatie over een aantal veelvoorkomende illegale drugs in Nederland, inclusief hun straatnaam, uiterlijk en fysiologische effecten.

Het RIVM stelde in 2009 in navolging van The Lancet een lijst samen van de 19 meest gevaarlijke drugs in Nederland. Het is de eerste keer dat op deze manier een ranglijst is samengesteld. De bedoeling is dat het Nederlandse drugsbeleid met deze lijst op een rationele manier kan worden geëvalueerd. De lijst is samengesteld door psychiaters gespecialiseerd in verslaving en beambten van politie en justitie met medische of wetenschappelijke kennis. Bij het samenstellen hebben zij per drug gekeken naar de lichamelijke schadelijkheid voor de consument, de mate waarin de drug verslavend is en de gevolgen voor de maatschappij. De drugs op de lijst zijn op basis van die criteria met elkaar vergeleken en gerangschikt. Op 1 staat de gevaarlijkste drug; op 19 de minste gevaarlijke drug:

1. Crack (rookbare cocaïne)
2. Heroïne
3. Alcohol
4. Methamfetamine (pepmiddel)
5. Cocaïne
6. Amfetamine (speed)
7. Tabak
8. Methadon (vervangmiddel voor heroïne)
9. XTC
10. GHB (slaapmiddel/ narcosemiddel/ partydrug)
11. Ketamine (verdovingsmiddel)
12. Cannabis
13. LSD
14. Buprenorphine (vervangmiddel voor heroïne, zoals methadon)
15. Methylfenidaat (Ritalin)
16. Benzodiazepinen (Valium)
17. Anabole steroïden (prestatieverhogende middelen)
18. Khat (mild stimulerende plant)
19. Paddo's (hallucinogene paddestoelen)

Cannabis

Mensen gebruiken de cannabisplant *Cannabis sativa* al duizenden jaren, niet alleen als roesmiddel, maar ook als medicijn en voor de hennepvezel, waar touwen en koorden van gevlochten worden. Het forensisch laboratorium treft cannabis gewoonlijk in twee vormen aan: als plantaardig materiaal (marihuana, wiet) of als hars (hasj, hasjiesj). De plant groeit in veel verschillende omgevingen, maar voor een goede opbrengst is de lichtintensiteit van belang. In Nederland is cannabis is de meest gebruikte illegale drug. Bij de laatste meting in 2009 gaf 25,7% van de Nederlanders tussen de 15 en 64 jaar aan dat ze wel eens cannabis hebben gebruikt. Het onderzoek wees verder uit dat 7% van de Nederlanders het jaar voorafgaand aan de meting nog had geblowd en dat 4,2% dat de maand voor het onderzoek nog had gedaan. In veel andere delen van de wereld wordt cannabis ook veel gebruikt. Het wordt vaak gerookt, maar kan ook gegeten (bijvoorbeeld verwerkt in koekjes of cake) of gedronken (bijvoorbeeld in thee) worden. Het belangrijkste actieve ingrediënt in cannabis is Δ9 tetrahydrocannabinnol (THC), wat gecategoriseerd staat als een mild hallucinogeen. De fysiologische gevolgen van langdurig cannabisgebruik staan ter discussie en hoewel het niet verslavend is, kan het tot afhankelijkheid leiden.

De hoeveelheid THC hangt af van de manier waarop het geteeld is en de kwaliteit van de planten. Geïmporteerde wiet heeft het laagste gehalte THC, nederhasj heeft gewoonlijk het hoogste. Cannabisplanten, vooral de bloemen, bevatten hars en kunnen samengeperst worden tot harde blokken (hasjiesj), die een opvallend uiterlijk en unieke geur hebben. Meestal is cannabishars met het blote oog te herkennen, en de identificatie kan bevestigd worden door de aanwezigheid van microscopische haartjes (trichomen, waar op te testen is) of scheikundige analyse om de aanwezigheid van THC vast te stellen. Plantaardige cannabis bestaat uit gedroogde fragmenten van plantbladeren en bloemen en af en toe zaadjes. Omdat het op gedroogde kruiden kan lijken, kan het niet makkelijk visueel geïdentificeerd worden, maar wel via microscopisch onderzoek en scheikundige analyse die THC opspoort. THC kan eenvoudig aan de bloemen onttrokken worden en ingedikt worden tot een plakkerige stof die bekend staat als 'olie'. De cannabis die in Nederland het meest voorkomt wordt nederwiet genoemd. Nederwiet bestaat uit de bloeiende toppen van onbevruchte planten die doorgaans binnenshuis gekweekt zijn.

Cannabis staat op lijst II van de Opiumwet, wat betekent dat het verboden is het te produceren, te bezitten of erin te handelen

zonder een vergunning van het ministerie van Volksgezondheid, Welzijn en Sport (vws). Dergelijke vergunningen worden
alleen verleend voor medische of onderzoeksdoelen. Het is niet
illegaal om de zaden te bezitten (ze zitten ook in vogelvoer),
maar wel om de planten te cultiveren. Wanneer de politie een
hoeveelheid van vijf planten of minder aantreft werd tot voor
kort aangenomen dat er geen sprake was van beroepsmatig
of bedrijfsmatig handelen. Bij ontdekking moest de eigenaar
afstand doen van de planten en werd hij of zij meestal niet verder vervolgd. De grootte van de planten en de professionaliteit
van de inrichting van de kwekerij waren niet van belang. Sinds
1 januari 2012 is er een nieuwe Aanwijzing Opiumwet in werking
getreden. Het gedoogbeleid van vijf planten geldt sindsdien
alleen wanneer aannemelijk is dat het om een amateurkweker
gaat die cannabis teelt voor eigen gebruik. Om dit te kunnen
bepalen is in de nieuwe Aanwijzing Opiumwet een aantal in-
dicatiepunten opgenomen die een aanwijzing kunnen vormen
voor beroeps- of bedrijfsmatige teelt. Volgens het nieuwe beleid
is sprake van een professionele kwekerij wanneer er aan twee of
meer punten is voldaan. In dat geval geldt het gedoogbeleid niet.

Heroïne

Morfine, diacetylmorfine (heroïne) en codeïne worden allemaal onttrokken aan de slaappapaver (*Papaver somniferum*).
Sinds 2006 stijgt de productie van opium, en 90% ervan komt
uit Afghanistan. Heroïne is over het algemeen een wit tot
bleekbruin poeder dat gemaakt wordt van het sap van de papaver. Het wordt meestal versneden met andere stoffen en de
zuiverheid van het werkzame ingrediënt varieert behoorlijk.
Heroïne wordt meestal gerookt ('chinezen') of geïnjecteerd. Bij
de laatste methode lopen de gebruikers risico op hepatitis (B
en C), infectie en HIV. Heroïne (en morfine) is sterk verslavend,
wat de belangrijkste reden is dat de stof gereguleerd wordt.
   Diacetylmorfine is een synthetisch derivaat van morfine
en valt onder de opiaten. Opiaten onderdrukken de hersen-

functies, en in de geneeskunde worden ze vooral gebruikt om mensen te verdoven en pijn te onderdrukken, maar ze roepen ook een gevoel van kalmte en welzijn op. Opiaten zijn sterk verslavend, wat leidt tot afhankelijkheid en tolerantie, wat de drugsverslaving weer erger maakt en vaak tot criminele activiteiten leidt om de drugs te kunnen kopen.

Chronisch gebruik van heroïne schaadt altijd de gezondheid, en gebruikers riskeren ziektes, gevangenisstraffen, en vernietiging van hun normale sociale- en familieleven dat door de aankoop en gebruik van de drug ontstaat. Diacetylmorfine is een lijst I drug die je alleen legaal mag produceren, verkopen of bezitten met een vergunning van het ministerie van Volksgezondheid, Welzijn en Sport.

Amfetaminen

Amfetaminen en ecstasy zijn de meest gebruikte synthetische drugs in Europa, en volgens het VN-Bureau voor drugs- en misdaadbestrijding zijn illegale laboratoria in Europa wereldwijd de belangrijkst leveranciers. Deze drugs behoren tot een familie van honderden verwante samenstellingen die afgeleid zijn van fenylethylamine en die op een aantal verschillende manieren gesynthetiseerd kunnen worden. De meest voorkomende samenstellingen zijn onder andere methylamfetamine en methyleendioxymethamfetamine (MDMA).

Als straatdrug is amfetamine gewoonlijk een poeder dat wit, geel of roze van kleur is. In deze vorm wordt het gerookt of gesnoven, hoewel het ook ingeslikt kan worden. Amfetamine is een stimulerend middel dat het centrale zenuwstelsel beïnvloedt, de hartslag versnelt en de bloeddruk verhoogt. Het verhoogt ook de hoeveelheid dopamine en noradrenaline in het bloed, wat voor een gevoel van euforie zorgt. Andere effecten zijn onder andere een gevoel van toegenomen energie, onderdrukking van de eetlust, en een vermindering van de behoefte aan slaap. Let wel, amfetaminen leveren geen echte energie en verminderen ook de ware behoefte aan slaap niet, wat een aantal van de nawerkingen (vermoeidheid, honger, etc.) verklaart. Regelmatig gebruik kan tot verslaving leiden. De meeste amfetamines zijn lijst I drugs en daarom mag je ze alleen bezitten, produceren of verkopen met een vergunning van het ministerie van Volksgezondheid, Welzijn en Sport.

MDMA wordt meestal verkocht in de vorm van tabletten, hoewel we ook poeders en capsules aantreffen. Gewoonlijk wordt het geslikt. De meeste tabletten hebben een stempel met een opvallend design. MDMA zorgt ervoor dat zenuwuit-einden snel serotonine (5-hydroxytryptamine) en dopamine af beginnen te scheiden. De effecten van MDMA hangen af van de dosis en de gebruiker, maar het kan onder andere verhoogde alertheid en energie veroorzaken, seksuele opwinding en ver-mindering van de behoefte aan slaap. Psychologische effecten worden omschreven als euforie, verscherping van de zintuigen, extraversie, gevolgd door een crash die vergelijkbaar is met die van amfetamine. In hoge doses kan MDMA leiden tot psychoses.

Ecstasy is een lijst I drug die in Nederland geen medische of therapeutische toepassing kent.

Algemene aspecten van onderzoek

Individuele laboratoria gebruiken een standaardwerkwijze om drugs te analyseren, maar de specifieke technieken en methodieken zullen van laboratorium tot laboratorium verschillen. Welke techniek er ook gebruikt wordt, de meeste onderzoeken volgen een algemeen patroon. De analist draagt beschermende kleding om er zeker van te zijn dat ze niet per ongeluk besmet raakt door de materialen die ze onderzoekt, en om kruisbesmetting te voorkomen. Alle werkbanken en ana lyseapparatuur worden schoongemaakt voor het onderzoek begint, en zo nodig tussen het onderzoek van verschillende stukken door. Grote partijen drugsmonsters worden onder-zocht in een ruimte die volledig gescheiden is van voorwerpen die onderzocht worden op drugssporen. Het onderzoek begint met een gedetailleerd verslag van de verpakking en verzegeling van alle voorwerpen om de integriteit te garanderen. Naast de normale wettelijke procedure voor het labelen krijgen stukken in drugsonderzoeken vaak een uniek referentienummer dat al voorgedrukt is op het monsterzakje en dat gebruikt wordt om in rapporten naar het voorwerp te verwijzen.

Vervolgens wordt het stuk visueel onderzocht. Bij plantaardige materialen en poeders wordt hierbij de kleur, de textuur en het gewicht van het monster genoteerd, en hoe het eruitziet onder een zwakke microscoop. Bij tabletten moet het aantal, de kleur, de vorm en indien aanwezige het logo beschreven en vastgelegd worden. Er zijn fotografische databases van soorten tabletten beschikbaar, die gebruikt kunnen worden om tabletten te identificeren en te categoriseren. In zaken zonder sporen zal er een oriënterende test uitgevoerd worden op een klein monster. Oriënterende tests kunnen een sterke aanwijzing geven dat er een drug of een verwante stof aanwezig is, en laboratoria gebruiken ze om voorwerpen te onderzoeken. De uitkomst van de oriënterende test helpt ook bepalen welke analysemethodes er gebruikt zullen worden om het monster verder te testen, omdat de test aangeeft welk type stof er aanwezig zou kunnen zijn. Daarbij is het belangrijk dat oriënterende tests in veel gevallen de aanwezigheid van gereguleerde stoffen snel uit kunnen sluiten, wat tijdverspilling en overbodige analyses voorkomt.

Tabel 18. Oriënterende tests voor drugs. Deze tests worden gebruikt om een aanwijzing te krijgen over de aanwezigheid van een gereguleerde stof, wat dan bevestigd kan worden met verdere analyse

Stof	Marquistest	Mandelinstest
Amfetamine	Oranje/oranjebruin	Groen
Benzeenzuur	Paars	
Cocaïne	Niet beschikbaar	

Stof	Marquistest	Mandelinstest
Codeïne	Blauw/paars	Olijfgroen
Acetylcodeïne		Blauw
Heroïne	Paars	
LSD	Niet beschikbaar	
MDA	Blauw/zwart-donkerbruin	
MDEA	Blauw/zwart-donkerbruin	
MDMA	Oranje/oranjebruin	Groen
Diacetylmorfine		Rood/bruin
Morfine	Paars	Paars
6-Monoacetylmorfine		Paars
Papaverine		Paars
Noscapinum		Geen reactie
Cafeïne		Geen reactie
Suiker	Bleek (citroen) geel	

Tabel 18 geeft een overzicht van twee van de oriënterende tests die het meest gebruikt worden voor een groot aantal veelvoorkomende drugs. Veel van deze tests zijn beschikbaar als kits en politieagenten gebruiken ze om materiaal te testen voor ze het bij het laboratorium indienen. Hierdoor kunnen 'onschuldige' materialen snel geëlimineerd worden, en kunnen mensen die toegeven dat ze een kleine hoeveelheid van een bepaalde drug in hun bezit hebben in sommige gevallen vervolgd worden zonder dat de drugs geanalyseerd hoeven te worden. In de tabel zijn ook een aantal andere stoffen opgenomen die zelf niet illegaal zijn maar die soms voor drugs aangezien kunnen worden of die gebruikt kunnen worden als versnijdingsmiddelen.

Analysemethodes
We hebben hierboven al gezegd dat er heel veel verschillende methoden zijn om illegale drugs te identificeren. In dit deel

zullen we een paar van de principes van drugsanalyse bekijken, en de algemene analysetechnieken die gebruikt worden. Welke specifieke analysestrategie gebruikt wordt hangt af van de protocollen van de individuele laboratoria en de informatie die ontleend is aan de eerste analyse, waaronder de oriënterende tests en de manier waarop de stoffen eruitzien. Het eerste doel in deze fase is het bevestigen van de oriënterende tests (als die gedaan zijn), en het vaststellen of er een illegale stof aanwezig is. In sommige gevallen kan de aanwezige hoeveelheid hierna gekwantificeerd worden, waar of aanvullende analyse voor nodig is, of een andere methodiek dan die voor identificatie. Maar welke analysemethode er ook gebruikt wordt, in alle gevallen zullen de juiste referentiestandaarden van de bekende stof en verwante stoffen gebruikt worden en zullen alle instrumenten gekalibreerd worden. Er worden minstens twee en vaak drie onafhankelijke tests gebruikt om er zeker van te zijn dat de identificatie goed genoeg is om gebruikt te worden in een strafzaak.

Wanneer er relatief grote hoeveelheden van het monster aanwezig zijn – zeg een kilo, of honderden tabletten – zal niet al het materiaal of alle tabletten onderzocht worden. Het is belangrijk dat er een geschikte steekproefmethode gebruikt wordt om zeker te weten dat de monsters die genomen en geanalyseerd worden representatief zijn voor het geheel. Als dit niet gebeurt, kan dit tot misleidende resultaten leiden. Monsters van microsporenbewijs zorgen voor een extra complicatie omdat er – vanwege de kleine hoeveelheid beschikbare stof – geen oriënterende tests gedaan zullen zijn. Daarom moet het veiliggestelde materiaal via een reeks analysetechnieken die een zo klein mogelijk deel van het monster gebruiken eerst voorlopig chemisch geclassificeerd worden. Pas daarna wordt er een volledige analyse gedaan. Dit kan gedaan worden op basis van verschillende extractiemethodes. Een aantal van de methoden die gebruikt kunnen worden om drugs te identificeren zijn elders beschreven. In het volgende deel beschrijven we een aantal van de meest gebruikte methoden die we nog niet behandeld hebben.

Chromatografische methoden

Chromatografie is een analysetechniek die gebruikt kan worden om veel verschillende stoffen te scheiden en te identificeren. Over het algemeen gebeurt dit in twee fases, een stationaire fase en een mobiele fase. Het scheidingsproces is gebaseerd op de verschillende verbindingen die bestanddelen in het mengsel van stoffen (bijvoorbeeld in een drugsmonster) in iedere fase aangaan. Deze verschillen zijn waar te nemen dankzij minuscule natuurkundige en scheikundige eigenschappen van de onderzochte stoffen. Bij dunnelaagchromatografie bestaat de stationaire fase uit een plaat die bekleed is met siliciumdioxide. Testmonsters en controlemonsters worden op de plaat aangebracht en in een tank die een mengsel van oplosmiddelen bevat geplaatst. De oplosmiddelen vormen in dit geval de mobiele fase. Ze kruipen via capillaire werking omhoog langs de plaat en scheiden de drugs en de andere bestanddelen, gebaseerd op hun tendens opgelost te blijven of zich te binden aan de stationaire fase (siliciumdioxide).

In sommige landen, zoals de Verenigde Staten, worden microkristallijne tests gebruikt om de aanwezigheid van drugs te bevestigen. In dergelijke tests wordt één van een aantal mogelijke specifieke reagens' aan de drug toegevoegd, waardoor er kristallen ontstaan. De vorm en kleur van de kristallen is kenmerkend voor het soort drug. Gaschromatografie scheidt gassen volgens hetzelfde principe als dunnelaagchromatografie. Voor deze methode wordt het monster verdampt en in een draaggas zoals waterstof door een erg dunne, lange buis (de kolom) geleid. In de buis zit een vaste stof (bijvoorbeeld kiezelgoer) of een niet-vluchtige vloeistof die als de stationaire fase dient. De bestanddelen van het verdampte monster worden van elkaar gescheiden door hun verschillende tendensen zich aan de stationaire fase te binden of in de mobiele fase te blijven. Over het algemeen worden bestanddelen geïdentificeerd aan de hand van de tijd die het ze kost om door de kolom te komen, wat de 'verblijftijd' heet. Hoe effectief gaschromatografie de bestanddelen scheidt hangt onder meer af van de aard van de stationaire fase en de mobiele fase, de kolomlengte en de temperatuur, en deze kunnen van te voren geoptimaliseerd worden voor iedere drug of klasse drugs. Wanneer de stof de kolom verlaat, kan dat op verschillende manieren waargenomen worden; de meest gebruikte methode is vlamionisatie. Gaschromatografie is preciezer en beter te reproduceren dan dunnelaagchromatografie, maar heeft ook zijn beperkingen: niet alle stoffen kunnen eenvoudig gasvormig gemaakt worden en sommige stoffen kunnen niet los van elkaar omgezet worden.

Hogedrukvloeistofchromatografie kan ook gebruikt worden om drugs op basis van hun verblijftijd te identificeren. Het voordeel daarvan is dat monsters niet voorbehandeld (bijvoorbeeld verdampt) hoeven te worden, hoewel de stof oplosbaar moet zijn in een aantal oplosmiddelen. Een ander voordeel van deze techniek is dat de analyse geautomatiseerd kan worden en gebruikt kan worden om monsters te kwantificeren.

Smokkel van en handel in illegale drugs

Een groot deel van dit hoofdstuk ging over de identificatie van stoffen. Maar voor zaken die om drugshandel draaien moet er naast identificatie nog ander werk gedaan worden. Vaak levert de politie dit aanvullende bewijsmateriaal, dat verkregen is uit onderzoek of surveillance, vooral in grootschalige importzaken waar het om honderden kilo's kan gaan. In sommige gevallen is dergelijk bewijsmateriaal niet beschikbaar, of is het bewijsmateriaal dat beschikbaar is onvoldoende voor strafvervolging. Wanneer er veel drugsmonsters van verschillende bronnen en verschillende delen van de aanvoerketen veiliggesteld zijn, kan gedetailleerde analyse van de drugs en het verpakkingsmateriaal gebruikt worden om verbanden te leggen tussen de monsters.

Dit kan op verschillende manieren gedaan worden. Wanneer individuele 'deals' in papier zijn verpakt, kunnen er misschien fysieke overeenkomsten gevonden worden die ladingen met elkaar verbinden. Wanneer er tijdschriften of kranten gebruikt zijn, kunnen die gebruikt worden om een verband te leggen tussen monsters op basis van vergelijkbare kenmerken of analyses van het papier en de inkt. Drugs die in papier of plastic zakken verpakt zijn kunnen ook onderzocht worden op vingerafdrukken van de verdachten. Papier, plastic zakken en plastic folie die gebruikt worden om drugs te verpakken

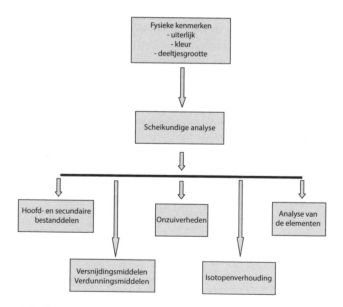

18. *Profilering van drugs. Dit kan op verschillende manieren gedaan worden, maar het is veel en nauwkeurig werk.*

kunnen onderzocht worden op sporen van DNA. Strepen op plastic zakken die veroorzaakt zijn door productieprocessen kunnen gebruikt worden om een verband te leggen tussen verschillende plastic zakken. Zorgvuldige analyses van de drugs en andere aanwezige chemicaliën kunnen gebruikt worden om monsters te profileren om mogelijke verbanden vast te stellen, zoals uiteengezet is in figuur 18.

Om drugsmonsters te profileren is er uitgebreid, nauwkeurig onderzoek van de in beslag genomen materialen nodig. Hoewel het relatief simpel is om fysieke eigenschappen van het materiaal te vergelijken, is de scheikundige analyse van de bestanddelen complex, kost het veel tijd en kunnen de resultaten moeilijk te interpreteren zijn. Dergelijke onderzoeken worden vaker gedaan om informatie te verzamelen over verbanden tussen mogelijke aanvoerkanalen dan om als bewijsmateriaal in de rechtbank te dienen.

Het forensisch laboratorium analyseert routinematig illegale stoffen, waar een groot aantal verschillende analysetechnieken voor gebruikt worden, die afhangen van de stoffen waar het om gaat. Meestal wordt er voor er aan de gedetailleerde analyse begonnen wordt een eenvoudige oriënterende test gedaan, die een aanwijzing geeft om welke drug het gaat. Hoewel de interpretatie van de resultaten afhankelijk is van de wet en bepaald wordt door het land waar de analyse uitgevoerd is, reguleren veel landen dezelfde stoffen vanwege de schade die die aanrichten en het verband tussen drugshandel en andere vormen van criminaliteit.

9.   Wetenschap en recht

> De enorme conceptuele verschuiving die [wetenschappelijk]
> denken vereist, toont dat wetenschap niet alleen gaat om 'het
> onbekende' in bekende termen vertalen. Integendeel: *wetenschap*
> *verklaart het bekende vaak in onbekende termen.*
> Lewis Wolpert, *The Unnatural Nature of Science*

> Het lijkt er meer en meer op dat de problemen rond de bevoegd-
> heid van deskundigen en de risico's van vooringenomen weten-
> schappelijk bewijsmateriaal voortkomen uit de institutionele
> eisen en beperkingen van het strafrecht, en niet uit gebrekkige
> wetenschappelijke methodes of het falen van individuele experts.
> Paul Roberts en Christine Willmore, *The Role of Forensic Science*
> *Evidence in Criminal Proceedings*

De definiërende eigenschap van forensische wetenschap is
haar relatie met de wet. In dit hoofdstuk komen we uit bij wat
meestal de laatste fase van een onderzoek is: de rechtszaak.
Hier ontmoeten wetenschap en wet elkaar, en we buigen ons
over de kwesties die daarbij kunnen ontstaan. We verkennen
de aard van de wetenschap en de wet, en wat de implicaties van
die verschillende wereldbeelden zijn voor de manier waarop
de forensische wetenschap gebruikt wordt, zich ontwikkeld
en begrensd wordt. Wetenschap is gebaseerd op observatie
van de buitenwereld. Ze heeft geen bijzonder idee over hoe
de wereld hoort te zijn, maar probeert hem te beschrijven op
basis van empirische observaties en door de ontwikkeling
van voorspellende modellen. Deze modellen worden constant
opnieuw getest en bijgesteld op basis van experimenten waar
universele methodieken voor gebruikt worden. Bij deze
methodieken staat het gebruik van statistische waarschijnlijkheid om de mate van onzekerheid in een serie waarnemingen

te beschrijven centraal. Wetenschap is waar ter wereld ze ook bedreven wordt hetzelfde, en is ongetwijfeld de beste manier die we kennen om de fysieke wereld te begrijpen. Wetenschappelijke modellen komen niet altijd overeen met hoe ons gezond verstand de wereld ziet; ze kunnen ongewoon zijn, en zelfs tegen onze instincten ingaan. Lewis Wolpert, de embryoloog en bekende wetenschapsjournalist die hierboven geciteerd is, beschouwt dit als een van de bepalende kenmerken van de wetenschap: ze legt het onbekende niet alleen uit in bekende termen, soms legt ze het bekende uit op een nieuwe, onvoorziene manier.

De wet opereert onder zijn eigen gezag, bij machte van statuten of precedenten, en refereert maar beperkt naar enige externe autoriteit. Verschillende rechtssystemen werken op verschillende manieren, en er bestaat geen universele wetgeving die te vergelijken is met de universaliteit van wetenschap. De wet is plaatselijk, en werkt op staats- of provinciaal niveau. De juridische wereld kan opgedeeld worden in de twee belangrijkste takken van het strafrecht: inquisitoir en accusatoir. In een inquisitoir proces treedt de officier van justitie net als de rechter op als waarheidsvinder, terwijl in een accusatoir proces een 'botsing der meningen' centraal staat. De verdediging en de aanklager proberen beiden de beslissende partij van hun versie van de waarheid te overtuigen. Bij een inquisitoir proces wordt vrijwel alle bewijsmateriaal in het vooronderzoek verzameld en getuigen worden meestal van tevoren gehoord door de politie. Bij een acquisitoir proces krijgt het bewijsmateriaal op de zitting pas bewijskracht en worden getuigen ook tijdens de zitting gehoord. In accusatoire rechtssystemen (de Verenigde Staten, het Verenigd Koninkrijk en haar vroegere koloniën en domeinen, Australië, Canada, Nieuw Zeeland) worden juridische uitspraken gedaan op basis van een zeer gestructureerd debat. In dergelijke debatten worden alleen bepaalde soorten feiten en informatie gebruikt, omdat ze toegestaan moeten zijn onder de bewijsregels. De bewijsregels zijn in essentie een *ad hoc* verzameling van voornamelijk uitsluitende richtlijnen die ontleend zijn aan de historische praktijk. Strafprocessen in Nederland en België zijn inquisitoir (onderzoekend) van aard. Inquisitoire systemen kennen minder beperkingen voor welk bewijsmateriaal toegestaan is en zijn meer geïnteresseerd in welke potentiele waarde het bewijsmateriaal heeft voor de uitkomst van de zaak. Over het algemeen benaderen inquisitoire systemen de 'waarheid' dichter dan accusatoire systemen. In tegenstelling tot wetenschap, die een consequente methodiek en vaste standaarden gebruikt, maakt de wet gebruik van verschillende procedures, die afhangen van de omstandigheden. In strafzaken moet de aanklager 'boven redelijke twijfel verheven' bewijzen dat de beklaagde schuldig is, maar in civiele zaken wordt het bewijsmateriaal gewogen op een schaal van waarschijnlijkheden. Dergelijke afwegingen worden vaak door 'rechters gedaan. De oordelen zijn in eerste plaats op de interpretatie en weging van de wet gebaseerd, maar berusten voor een deel ook op 'gezond verstand'. Je kunt je moeilijk twee systemen van kennis vergaren voorstellen die hun conclusies op meer uiteenlopende manieren trekken, en het zal geen verrassing zijn dat de wetenschap en het recht onvermijdelijk botsen over wie er gelijk heeft en wiens kennis meer autoriteit heeft.

Deze problemen ontstaan vooral wanneer een expert moet getuigen. De wet erkent al honderden jaren dat er een speciaal soort getuige (een 'getuige-deskundige') nodig is. Als de rechtbanken niet genoeg kennis en expertise hebben om een uitspraak te doen in de zaken die hen voorgelegd worden, licht de getuige-deskundige het bewijsmateriaal toe. Deze specialist brengt verslag uit over wat zijn wetenschap hem leert op een bepaald terrein, zoals op het gebied van vingerafdrukken of psychische stoornissen. Getuigen-deskundigen verschillen op een aantal manieren van gewone getuigen, maar voornamelijk omdat ze het recht hebben te getuigen over hun mening.

Gewone getuigen moeten hun bewijsmateriaal beperken tot de feiten – wat ze gezien of gehoord hebben – maar ze mogen deze feiten niet interpreteren; dat is het werk van de rechters. Getuigen-deskundigen mogen een mening geven over de betekenis en relevantie van de feiten – of een voorwerp een vuurwapen is, hoe een brand ontstaan is, hoe er bloedvlekken op een wapen terechtgekomen zijn. Maar ze mogen hun meningen alleen geven op de specifieke gebieden waar ze experts in zijn. Dit is een bijzonder lastige kwestie, wat we kunnen illustreren met een recente gerechtelijke dwaling in Nederland.

In 2000 werd Kees B. in het Schiedammerparkmoordproces veroordeeld voor de moord op het meisje Nienke en de poging tot moord op haar elfjarige vriendje Maikel. De getuige-deskundige, de pyscholoog/pedagoog Ruud Bullens, verloor de regels voor het verhoren van kinderen volstrekt uit het oog: hij greep niet in toen Maikel als potentiële mededader werd verhoord. Dat verhoor was mogelijk, omdat de elfjarige Maikel volgens de deskundige een 'groot geheim' bij zich droeg. Ook nam hij als psycholoog de rol van rechercheur op zich, toen hij de jongen ondervroeg onder het mom van een persoonlijkheidsonderzoek. Mede hierdoor twijfelde justitie aan Maikels signalement van de dader en zat Kees B. die niet aan die beschrijving voldeed vier jaar gevangen. Een overheidscommissie die de zaak later onderzocht, verweet de getuige-deskundige 'onbegrijpelijk' en 'ontoelaatbaar' gedrag.

Op de slachtoffers waren bovendien sporen gevonden op basis waarvan een DNA-deskundige en een onderzoeker van het NFI DNA-profielen hadden kunnen opstellen. Deze waren echter niet volledig. Duidelijk was wel dat deze profielen niet overeen kwamen met het profiel van Kees B. In 2005 bleek dat het ontlastende bewijs niet aan de rechter was voorgelegd, omdat het NFI geacht wordt alleen te rapporteren over onderzoeksgegevens die een zekere mate van betrouwbaarheid hebben. De zaak toonde aan dat het in Nederland mogelijk is dat een rechter tot een veroordeling komt zonder alle beschikbare informatie te kennen. De ophef rond deze zaak zorgde ervoor eerdere dat eerdere rechterlijke dwalingen opnieuw werden bekeken. Dit heeft er onder andere toe geleid dat de rol en de verantwoordelijkheden van getuigen-deskundigen is vastgelegd in de wet deskundige in strafzaken, die in 2010 in werking is getreden. Op die manier is geprobeerd om de belangrijkste pijlers waarop de kwaliteit en bruikbaarheid van deskundigenbewijs in het strafproces zijn gefundeerd, steviger wettelijk te verankeren: het recht op tegenspraak in het voor- en eindonderzoek, de kwaliteitseisen met betrekking tot deskundigen in het strafproces en de rol van de rechter in het voor- en eindonderzoek. Dit heeft onder meer geleid tot de invoering van het Nederlands Register Gerechtelijk Deskundigen (NRGD). Om op de lijst terecht te komen moeten getuigen-deskundigen een kwaliteitstoets afleggen. Wanneer een van de partijen een getuige-deskundige wil opvoeren die niet op de lijst staat, dan moet goed worden gemotiveerd waarom de betreffende persoon deskundig is. De ervaring leert dat rechters bij voorkeur gebruik maken van de diensten van deskundigen die op de lijst staan. Op een aantal gebieden staan er echter nog geen mensen in het register.

De wet deskundige in strafzaken schrijft zorgvuldig voor wat de invloedssfeer van een getuige-deskundige is, en hoe hun omgang met de rechtbank moet verlopen. De belangrijkste zaak over deze kwestie is het citeren waard:

> Onder verklaring van een deskundige wordt verstaan zijn
> bij het onderzoek op de terechtzitting afgelegde verklaring
> over wat zijn wetenschap en kennis hem leren omtrent
> datgene wat aan zijn oordeel onderworpen is, al dan niet
> naar aanleiding van een door hem in opdracht uitgebracht
> deskundigenverslag.

Het komt erop neer dat er verwacht wordt dat de getuige-deskundige de rechtbank in iedere zaak over het betreffende specialistische onderwerp – drugsanalyse, DNA-profilering, vergelijkingen tussen verschillende soorten verf – zal informeren. Dit is al moeilijk in een klaslokaal met gewillige toehoorders, zoals studenten; het is bijna onmogelijk om aan deze eis te voldoen in een rechtbank waar twee partijen met tegengestelde ideeën over de relevantie van het bewijsmateriaal de vragen stellen en de rechter(s) van het gelijk van hun interpretatie proberen te overtuigen. Het volgende voorbeeld illustreert wat er bereikt kan worden met een tactisch kruisverhoor:

Advocaat: 'Kun je haar laten verouderen?'

Getuige: 'Nee.'

Advocaat: 'Weet u dat zeker?'

Getuige: 'Ik ken geen enkele manier om biologisch materiaal te verouderen.'

Advocaat: 'Heeft u onderzoek gedaan dat bewijst dat haar niet te verouderen is?'

Getuige: '... Nee.'

Advocaat: 'Heeft u wetenschappelijke artikelen gelezen die concluderen dat haar niet te verouderen is?'

Getuige: 'Ik ben me niet bewust van ...'

Advocaat: 'U bent zich niet bewust van enig bewijsmateriaal dat concludeert dat haar niet te verouderen is ...'

Dit voorbeeld dateert uit de jaren 1980, maar het geïllustreerde principe is vandaag de dag nog steeds geldig. Door de getuige zorgvuldig te ondervragen en onder controle te houden, ontlokt de verdediging een 'feit' aan de getuige (dat de mogelijkheid dat haar verouderd kan worden niet uitgesloten kan worden) dat niet waar is en waarvan niemand in de wetenschappelijke gemeenschap gelooft dat het waar is. Daarnaast wekt de verdediging de indruk dat de expert haar huiswerk beter had kunnen doen en had moeten proberen de haren in de zaak te verouderen. De meeste experts houden niet van dergelijke sofisterij, maar in de rechtbank komt het veel voor. Een ervaren expert kan erop reageren met zorgvuldig geformuleerde, competente antwoorden, wat op een geduchte woordenwisseling uit kan lopen, maar het leidt zelden tot de waarheid. Omdat het niet mogelijk is onderzoek te doen naar dergelijke zaken, weten we niet wat de invloed van dergelijke uitwisselingen op rechters is. Dergelijke kwesties blijven niet beperkt tot kruisverhoren. De rechtbank is geen omgeving waar ruimte is voor de kwaliteit en het niveau van communicatie die nodig zijn voor dergelijke belangrijke zaken, iets wat het citaat van Roberts hierboven lijkt te bevestigen. Zelfs de manier waarop de rechtbank ingericht is kan storend werken. De getuige kijkt over het algemeen in de richting van de rechter(s). De ondervragers bevinden zich meestal achter de getuige. Het idee is dat de ondervragers de getuige zo minder kunnen beïnvloeden. Maar het betekent ook dat de ondervragers verstoken blijven van de non-verbale communicatie van de getuige. Moderne rechters laten de ondervragers daarom tegenwoordig ook wel aan de rechter- en linkerzijde schuin voor de getuige plaatsnemen, zodat zij elkaar kunnen aankijken.

De relatie tussen de wetenschap en de wet is complex. De meeste juristen weten weinig van wetenschap en de meeste wetenschappers weten weinig van de wet. De rechtbank is een complexe omgeving; het is niet eenvoudig om er het niveau of de kwaliteit van communicatie die nodig is voor dergelijk bewijsmateriaal te bereiken. Omdat het rechtssysteem meer dan ooit tevoren op wetenschappelijk bewijsmateriaal vertrouwt, is het van cruciaal belang dat er een effectieve relatie tussen de wetenschap en de wet ontwikkeld wordt, om er zeker van te zijn dat de wetenschap een bijdrage blijft leveren aan het strafrecht.

Nawoord

... de overkoepelende term 'forensische wetenschap' omvat een verzameling bijzonder praktijkgerichte disciplines waarop het paradigma van puur wetenschappelijk onderzoek niet makkelijk toepasbaar is.

Paul Roberts en Christine Willmore, *The Role of Forensic Science Evidence in Criminal Proceedings*

Ik heb geprobeerd de lezer enig inzicht te geven in forensische wetenschap, in haar waarde, haar beperkingen en haar potentie. Zoals Roberts en Willmore hierboven schreven, forensische wetenschap past niet goed bij wat we over het algemeen van wetenschap verwachten of eisen. Ze is chaotisch, zowel in theorie als in de praktijk; ze laat zich in met lichaamsvloeistoffen en lichaamsdelen, explosies, uitgebrande gebouwen, en versplinterde fragmenten uit een duizelingwekkend aantal verschillende bronnen. Forensische wetenschap probeert dit op een betekenisvolle manier en binnen de wettige beperkingen waarin ze werkt samen te voegen. De grenzen van forensische wetenschap zijn vaag, of in ieder geval omstreden, op sommige gebieden zijn de fundamenten waar haar bewijsmateriaal op rust zwak en kunnen aangevochten worden. De pers, politici en het publiek prijzen en veroordelen haar afwisselend, net zoals de pet staat, en ze is vatbaar voor exploitatie door valse experts.

Ondanks deze zwakke punten levert forensische wetenschap een unieke bijdrage aan het strafrecht, en geeft ze antwoorden die op geen enkele andere manier gevonden kunnen worden en die van een kwaliteit zijn die niet geëvenaard wordt door enig ander soort bewijsmateriaal. Haar bijdrage is minder groot dan ze zou kunnen zijn doordat ze indirect toegepast wordt, door beoefenaars (politie en advocaten) die te weinig weten van wat er mogelijk is, en door wetenschappers die de wettige- of onderzoekrelevantie van informatie die ze in hun bezit hebben niet begrijpen. Als de forensische wetenschap een effectievere bijdrage wil leveren aan het strafrecht, is het belangrijk dat we erkennen dat wetenschap, wet en politie wederzijds afhankelijk van elkaar zijn, en dat kennis gedeeld en communicatie verbeterd moet worden.

Illustratieverantwoording

1. Verlies van vezels van het huidoppervlak
Forensic Science Society
2. Schoenafdruk in zand
3. Schoenafdruk in nat beton
4. Triangulatie van bloedvlekken
5. Spermatozoïden en vaginale cellen gekleurd met hematoxyline en eosine
6. Twee delen van een benzinebon passen in elkaar
7. De structuur van DNA, de relatie met chromosomen en de locatie binnen de cel
8. De polymerasekettingreactie
9. DNA-verwantschapstest
10. Analyse van DNA uit een gemengde vlek
11. Grooi aantal matches
12. Groeven op een kogelhuls
Olympus UK
13. Ribbelpatronen van een vingerafdruk
Scottish Police Services Authority Forensic Services
14. Minutiae van vingerafdrukken en vingerafdrukvergelijking tussen een spoor en een afdruk
Scottish Police Services Authority Forensic Services
15. Vergelijking van schoensporen
Napier Associates
16. Vergelijkingsmicroscoop
Olympus UK
17. Kleurenspectra van blauwe acrylvezels, vastgesteld met microspectrofotometrie
Forensic Science Society
18. Profilering van drugs
Bewerking van S. Bell, Forensic Chemistry (Pearson Prentice-Hall, 2006)

Verder lezen

Bell, A., J. Swenson-Wright, en K. Tybjerg (red.), *Evidence* (Cambridge: Cambridge University Press, 2008). Een verzamelbundel over de aard van bewijsmateriaal in veel verschillende contexten, maar met een hoofdstuk over statistiek en de wet dat gedeeltelijk over de Sally Clark/ Meadows-zaak gaat.

Broeders, A.P.A. en E.R. Muller (red.), *Forensische wetenschap. Studies over forensische kennis en organisatie* (Deventer: Kluwer, 2008). Overzichtswerk van de verschillende elementen van forensische wetenschap en de wijze waarop deze is georganiseerd.

Bell, S., *Forensic Chemistry* (New Jersey: Pearson Prentice-Hall, 2006). Een goede inleiding tot een aantal belangrijke gebieden van forensische scheikunde. Hiervoor is enige kennis van scheikunde nodig.

Butler, J.M., *Forensic DNA Typing: Biology, Technology, and Genetics of STR Markers* (London: Academic Press, 2005). Het standaard handboek over DNA, waar behoorlijk wat technische kennis over het onderwerp voor nodig is.

Fraser J. en R. Williams (red.), *The Handbook of Forensic Science* (Cullompton: Willan, 2009). Een verzamelbundel die alle gebieden die in dit boek beschreven worden behandelt, en sociale, juridische, economische en politieke aspecten van forensische wetenschap. De meeste schrijvers zijn erkende internationale experts op hun gebied.

Goodwin, W., A. Linacre, en S. Hadi, *An Introduction to Forensic Genetics* (Chichester: Wiley, 2007). Een eenvoudige en toegankelijke inleiding tot DNA-profilering en genetische demografie.

Have, B. van der, J. Bijl, J. Keijzer en W. Neuteboom, *Forensisch onderzoek: het NFI en de wetenschap tegen de misdaad* (Amsterdam: L.J. Veen, 2006). Beschrijft de geschiedenis van forensisch onderzoek in Nederland en de technieken die het Nederlands Forensisch Instituut gebruikt bij het oplossen van misdrijven. Veelal waargebeurde verhalen komen aanbod.

Have, B. van der, *Zo moet het gegaan zijn! Het werk van de forensisch onderzoeker.* (Rijswijk: Stichting Rijswijkse Historische Projecten, 2005). Beschrijving van een groot aantal onderzoeksafdelingen van het NFI.

Houck, M.H. en J.A. Siegel, *Fundamentals of Forensic Science* (Boston: Academic Press, 2006). In inleidende tekst, geschreven vanuit een Amerikaans perspectief, waarvoor enige kennis van wetenschap voor nodig is.

Lyle, D.P., *Forensisch onderzoek voor Dummies.* (Amsterdam: Pearson Benelux B.V., 2008). In dit boek maak je kennis met de belangrijkste spelers in het onderzoek en lees je wat er gebeurt achter de rood-witte linten op een plaats delict. P. Moore, *Het forensisch handboek. De geheimen van forensisch onderzoek.* (Baarn: Tirion Uitgevers B.V., 2006). Het forensisch handboek is een unieke en zeer informatieve gids over de technieken uit het forensisch onderzoek.

National Research Council, *Strengthening Forensic Science in the United States: A Path Forward* (Washington, DC: National Academies Press, 2009). Een gedetailleerd verslag van forensische wetenschap in de Verenigde Staten, waarin veel zaken aangekaart worden die belangrijk zijn voor de Verenigde Staten, maar ook voor andere landen.

Platt, R., *Crime scene : handboek voor forensisch onderzoek.* (Houten: Van Holkema & Warendorf, 2004). Dit boek beschrijft hoe moderne hightech-apparatuur en technieken, als aanvulling op goed speurwerk, worden gebruikt om de waarheid te ontdekken en een resultaat opleveren dat later kan worden gebruikt in de rechtszaal.

Stol, W.Ph., N. Kop en P.A. Koppenol, *Een spoor is geen spoor. Naar een landelijke sporendatabank voor informatiegestuurde opsoring.* Deze nieuwe uitgave over de landelijke sporendatabank bevat een overzicht van soorten sporen en gaat vervolgens nader in op het werken met DNA, vingerafdrukken, werktuigsporen, modus operandi, wapensporen, gezichtskenmerken en schoensporen. (Apeldoorn: Politieacademie, 2006)

Vlugt, S. van der, T. Hoogstraaten en Nicolet Steemers, *Stille getuigen. Sporen van de misdaad in 25 verhalen.* (Amsterdam: CPNB, 2011). De verhalen geven een uitzonderlijk kijkje in de laboratoria en expertise van het NFI, de grootste organisatie voor forensisch technisch onderzoek in ons land.

Williams, R. en P. Johnson, *Genetic Policing: The Use of DNA in Criminal Investigations* (Cullompton: Willan, 2008). Een veelomvattend verslag van de ontwikkeling en het gebruik van DNA-databases over de hele wereld, vanuit een sociologisch perspectief.

Index

Elementaire Deeltjes

Reeds verschenen

Verwacht